Nadine Descheneaux

Les secrets du divan rose

N° 9

Graffiti... d'amour !

Catalogage avant publication de Bibliothèque et Archives nationales du Québec et Bibliothèque et Archives Canada Descheneaux, Nadine, 1977-

Graffiti-- d'amour!

(Les secrets du divan rose ; 9)
Pour les jeunes de 12 ans et plus.

ISBN 978-2-89595-669-3

I. Titre. II. Collection: Descheneaux, Nadine, 1977-   .
Secrets du divan rose ; 9.

PS8607.E757G72 2013   jC843'.6   C2012-942847-7
PS9607.E757G72 2013

Auteure: Nadine Descheneaux
Illustration de la couverture: Jacques Laplante
Graphisme: Julie Deschênes et Mika

La typographie utilisée pour la création de la signature de cette série est la propriété de Margarete Antonio. Tous droits réservés.

Dépôt légal – Bibliothèque et Archives nationales du Québec, 1er trimestre 2013

ISBN 978-2-89595-669-3

Gouvernement du Québec – Programme de crédit d'impôt pour l'édition de livres – Gestion SODEC
Boomerang éditeur jeunesse remercie la SODEC pour l'aide accordée à son programme éditorial.

Nous reconnaissons l'aide financière du gouvernement du Canada par l'entremise du Fonds du livre du Canada (FLC) pour nos activités d'édition.

Imprimé au Canada

« *Si on ne dérange pas,*
c'est qu'on ne respire pas ! »
Lu et découpé dans un magazine Châtelaine

À mon *naaaaaamie* Caro.
Parce qu'il y a de ces amitiés qui
arrivent alors qu'on ne s'y attendait
pas et qui changent notre vie.
Tu es l'une de celles-là.
Pour mon plus grand bonheur !

Un si petit quelque chose

« Oups ! Attention, Frédérique ! Ahhh, désolé », s'excuse un gars de mon cours de maths en m'accrochant le coude. Résultat : un peu de 7 Up est tombé sur le bout de mes bottes. Tant pis.

Ce soir, sur le plancher du gymnase, aucun soulier de course, mais des centaines de talons hauts. Pour une rare fois, l'obscurité règne dans la grande salle. Seuls des stroboscopes projettent sur les murs des rayons lumineux et colorés. C'est la soirée de danse tant attendue. Enfin, je ne sais plus si je l'attendais tant que ça, pour ma part. En me préparant dans ma chambre après l'école, j'ai eu un doute. Un éclair passager de questionnements qui m'a perturbée. Le pire, c'est que je ne sais pas ce que c'était. Juste un drôle de *feeling*.

Et si c'était un mauvais pressentiment... On ne sait jamais. On dit bien qu'on fait parfois des rêves prémonitoires. On rêve à quelque chose qui n'est pas encore arrivé, mais qui va se réaliser dans les jours ou les semaines qui suivent.

Quand cette étrange impression m'a assaillie, j'enfilais mes nouvelles bottes. Elles sont tellement belles. Gris argenté, ornées d'étoiles en paillettes. Elles ont des semelles de souliers de course, mais je m'en fiche. Aucunement besoin qu'elles aient des talons hauts, elles sont bien assez originales et uniques comme ça. J'aime tellement les choses qui sortent de l'ordinaire et qui me distinguent des autres. Si je ne suis pas aussi maniaque de la mode que Rosalie, je sais que j'ai peaufiné mon style. Moi, ce n'est pas être la première à porter une mode qui m'intéresse, c'est trouver des vêtements et des accessoires qui me ressemblent. Quelque chose qui fait « moi ». Quand quelqu'un regarde mes bottes, il doit pouvoir deviner qu'elles m'appartiennent, car ce que je porte est comme un prolongement de moi-même. Et je ne me soucie pas que cela paraisse étrange ou démodé ! Même le jugement de Rosalie ne m'influence pas. Quand elle m'a demandé tantôt si mes bottes ne faisaient pas un peu bébé, je n'ai pas compris le sens de sa question. Parce que les chaussures à talons sont permises ce soir, il faudrait que j'en porte ? Je suis une Cendrillon moderne, moi. Je choisis mes chaussures selon mes goûts et ma personnalité. Et il se trouve que les étoiles, c'est mon symbole fétiche. Je m'en fiche si les autres les trouvent bébé. Alors peu importe ce que les autres en pensent ! Je m'en fiche ! Mes bottes étoilées, je les trouve hallucinantes et elles me correspondent parfaitement.

Bref, tantôt, j'étais sur mon divan rose et j'essayais d'enfiler mes nouvelles bottes quand j'ai été secouée par la foudre du doute. Un doute, ce n'est rien. Ce n'est même pas un minuscule petit quelque chose. C'est une réflexion d'une fraction de seconde... qui se met à gonfler dans notre tête. Mais un doute, c'est flou. C'est comme se diriger à tâtons dans un épais brouillard. C'est sentir quelque chose sans rien voir de concret. Un doute, c'est fatigant. Un doute, ça s'accroche. Et quand le doute nous tient, il ne nous lâche plus. Un doute, c'est résistant et persistant.

Alors si juste là, je viens de me faire accrocher et que j'ai le bout des orteils mouillés de 7 Up, il se peut que je l'aie cherché un peu. Au lieu de danser avec tout le monde, je suis plantée comme un saule pleureur sur un des côtés du gymnase. Je suis fixée au sol, mais mes branches ballottent autour de moi et nécessairement finissent par déranger la course des autres. Moi, c'est dans ma tête que je danse. Le doute s'est entortillé autour de mon esprit. Pourquoi est-ce que je n'arrive pas à m'en défaire ?

— Allez, Fred ! Viens danser ! As-tu mal aux pieds avec tes nouvelles bottes ? En passant, je les trouve super ! Totalement toi ! s'époumone Emma à cinq centimètres de mon oreille.

Elle veut me tirer sur la piste de danse improvisée, juste là où il y a huit heures on jouait au volley-ball. Mais je reste perdue dans mes pensées comme le Petit Poucet au milieu de sa forêt.

— Je vous rejoins dans deux minutes... dis-je à mon amie qui se trémousse déjà avec Zoé et Rosalie.

Cette soirée, on avait prévu qu'elle serait magique. Le secondaire, c'est un peu essoufflant, par bouts, et on se voit moins qu'on le voudrait. Ce soir, on s'était promis de rester ensemble toutes les quatre. Pour le moment, je reste seule avec mon intuition. C'est ça ! C'est ça !

Je ne suis pas prise de doute : j'ai une intuition. Un pressentiment, quoi ! Même si je n'arrive pas à trouver la véritable définition du mot, je sais que c'est en plein ça. Mon inconscient « ressent » qu'il se trame quelque chose. Il y a une petite voix en moi qui me dit – non, me crie – de faire attention. Son message n'est pas clair, mais son ton m'indique que c'est un avertissement sérieux.

C'est fou de réaliser que j'ai une voix intérieure. Comme un deuxième moi. Un spectateur interne de ma propre vie. Étrange. Très étrange. Je fixe en silence les gens qui m'entourent. Je ne vois que des personnes heureuses. Mes amies, des camarades de classe, des connaissances, quelques professeurs et des parents. Tous affichent un grand sourire. L'ambiance est légère comme une bulle de savon. Ça danse, ça rit, ça sautille. Et moi, je me morfonds. « Ça suffit, Fred ! » me dis-je. J'ai parfois besoin de me secouer pour ne pas m'enliser dans le sable mouvant de mes pensées. Je ne gâcherai pas ma soirée pour une intuition. Je ne suis pas une diseuse de bonne aventure – ni même de mauvaise aventure –, alors je vais sauter dans le moment présent et arrêter de poireauter.

— Tu veux bien fermer une petite boîte, Frédou, et venir danser ?

Frédéric. C'est peut-être lui, mon intuition.

Je souris. Je comprends ce qu'il veut me dire. Je lui ai déjà expliqué que pour chasser mes idées noires, mes soucis, mes peurs ou autres sentiments que je ne veux pas ressentir, je visualise des boîtes. Je compartimente ma vie. Tout ce qui me trotte dans la tête, je le regroupe en catégories et l'enferme ensuite dans une caisse individuelle. Une fois tout bien classé, je ne laisse rien s'échapper pour éviter la contamination. Par exemple, si je dois étudier pour un examen de géo qui a lieu le lendemain, je ne me laisse pas envahir par mes angoisses au sujet de mon exposé oral qui lui n'est que dans deux semaines. Frédéric dit que je gère mes priorités. Moi, j'aime mieux mon idée de boîtes.

Frédéric est, je crois, le plus gentil et le plus attentionné de tous les amoureux de la planète. Il me devine. Là, précisément, il savait que je livrais une bataille dans ma tête. « Ça paraît dans tes yeux ! » me dit-il pour m'expliquer comment il arrive à tout savoir. Quand il m'implore d'arrêter de penser à ce qui me chicote, je le trouve totalement charmant. Il me tire un peu par le bras, je résiste un peu juste pour la forme, mais je m'avance vers lui. Plus près. Mon sourire réapparaît. Je me sens déjà moins lourde. Même si ce n'est pas un « slow », il m'enlace de ses grands bras de sportif. Parce qu'il me tient bien fort, ça me calme un peu. On dirait que je peux lui transférer un peu de mes tourments et que lui, il va aller les déposer ailleurs. Loin. Très loin de moi. Et je ne les retrouverai plus.

Jamais. Ça doit être ça aussi l'amour : partager ses élans de tristesse et ses doutes, sans nécessairement se parler. Mais j'ai hâte de lui raconter quand même ! Même si je suis Miss Bavarde par excellence, il n'est jamais étourdi quand je lui dis ce qui se passe dans ma tête. Vraiment, Frédéric est trop... non, pas pareil ! Parce que c'est totalement faux ! On n'est pas pareils, on est complémentaires. On est deux morceaux de casse-tête différents mais qui s'emboîtent parfaitement. Et en plus, il est patient. Selon Zoé – qui préfère de loin l'action à la parole –, il pourrait gagner une médaille pour endurer l'étalement de tous mes rêves et états d'âme. Je pense qu'elle exagère, je ne suis pas si pire que ça, quand même. Juste un peu ! Mais la preuve qu'il a une réserve de patience hallucinante, c'est qu'il aurait bien pu me laisser me dépêtrer avec mes soucis, mais non, il est venu vers moi avec cet immense sourire qui fait du bien.

Moi, j'ai vraiment zéro patience. J'aime que tout aille vite. J'aime savoir maintenant. Je suis pressée. Je vis dans l'urgence. On pourrait me diagnostiquer une impatience chronique et je ne serais pas surprise. En fait, personne dans mon entourage ne le serait. C'est probablement pourquoi je supporte mal la vie avec une intuition comme colocataire dans mon cerveau. Est-ce que c'est possible de la matérialiser pour que je puisse m'en défaire ? C'est vrai ! Tant qu'elle reste intangible, je me bats contre un ennemi invisible.

— Tu penses à ton travail sur la guerre ? me demande Frédéric.

— Oh ça ? Non. Pas du tout, même !

J'avais complètement oublié ce travail. On doit écrire une réflexion personnelle sur le thème « La guerre attire-t-elle la guerre ? », d'après nos observations. On doit noter toutes les fois qu'on entend le mot « guerre » et essayer de voir comment ça peut nous influencer, comment et pourquoi ce mot est utilisé. Est-ce qu'on devient imperméable à ces nouvelles ? Comment la guerre est-elle liée à la paix ? Je trouve que c'est un travail difficile. J'y pense beaucoup. Je ne sais pas comment amorcer ma réflexion. Dans ma tête, c'est archi-mêlé. J'ai plein de choses à dire, mais je ne sais pas trop comment tourner le tout en un texte intelligent. En plus, à la fin de notre réflexion, on doit proposer un geste pour faire obstacle à la guerre. J'en ai parlé à Frédéric ce midi. Je pense qu'il m'a trouvée un peu énervée. La guerre, je n'aime pas trop y penser. Ni même regarder les nouvelles. Ça me fait peur. Je me trouve bien ici, loin des pays en guerre. Mais même s'il y a des milliers de kilomètres entre ici et là-bas, chaque fois qu'on parle de guerres dans mes cours, des frissons me grimpent jusque dans le cou.

— Ça ne va pas ?

— Oui, non... je ne sais plus trop...

— Hum ! C'est tellement clair comme réponse.

— J'ai comme un drôle de *feeling*. On s'en reparlera demain, là on ne s'entend pas.

— En tout cas, moi j'entends les engrenages dans ta tête, ça c'est sûr ! Ça fait sifffff brrrr bang bang bang criccccc !

— Arrête !

Je sais qu'il me taquine. Il me laisse retourner danser avec mes amies pendant qu'il va rejoindre les siens, après m'avoir dit « Prends ça cool... On en rejase, promis ! » et m'avoir donné un baiser sur le front, juste à la fin de mon sourcil, un peu au-dessus de la tempe. Je pense que c'est le baiser le plus réconfortant qui existe !

Mais ce soir, il ne suffit pas. C'est fou ! Même le fait de danser ne me détend pas. Habituellement, en sautant, en me déhanchant et en suivant le rythme de la musique autant avec mes bras qu'avec mes jambes, je vide un peu ma tête. Parfois, entre deux devoirs pénibles à la maison, je mets mon jeu *Just Dance* sur la Wii pour me défouler sur une ou deux chansons. Ça me redonne de l'énergie. Cependant, ce soir, la thérapie par la piste de danse n'a aucun effet. Je suis congestionnée de la pensée, et une boule d'angoisse commence à grossir dans mon estomac. Je n'aime pas ça.

En tournoyant un peu, j'observe mes amies. Il doit bien y avoir des indices que je n'ai pas remarqués. Des faits si *microscopiquement* infimes qu'au premier regard, je ne les ai pas vus. Il y a nécessairement quelque chose qui cloche.

Pourtant, non. Les filles sont... les filles. Rosalie essaie d'attirer l'attention de tous. Elle en met beaucoup... comme d'habitude. Emma danse en rougissant, surtout depuis que son « crush » du moment, un gars de son cours de maths, semble l'avoir enfin remarquée et s'intéresse un peu à elle. C'est plutôt amusant de voir Léo essayer de s'approcher d'Emma sans vraiment quitter son groupe d'amis. Quant à Zoé, elle n'est toujours pas très à l'aise sur une piste de danse. Elle est probablement la seule fille qui préférerait jouer au volley-ball à la place. Mais, tout ça, c'est normal. Mon intuition ne peut pas prendre racine dans cette réalité banale.

Je ferme un peu les yeux. Des fois, ça fonctionne pour chasser mes idées. Je les ferme si fort que lorsque je les ouvre, quelques points lumineux virevoltent devant moi. Rien n'a changé. Mais ce drôle de *feeling* est toujours là. Ça me fâche parce que je sais que je suis en train de bousiller toute ma soirée. Je n'en profite pas. Je ne suis qu'à moitié là. J'aimerais bien avoir un interrupteur pour mettre mes idées à « off ». Me déconnecter de moi et de mon cerveau un instant. Ou peser sur « redémarrer » pour repartir à neuf. Pourquoi on ne peut pas faire un « control+alt+delete » sur soi ? Ce serait si simple...

Je décide d'aller aux toilettes.

Trois mots de trop

Finalement, j'aurais mieux aimé vivre avec l'intuition que la vérité. Ou non. Peut-être pas. Je ne sais plus. Tout tourne dans ma tête et j'en ai mal au cœur. Sans farce. Ce que je viens de voir me dégoûte.

Aux toilettes, je pensais pouvoir m'isoler cinq ou dix minutes, me calmer et revenir dans le gymnase heureuse. Même si c'est un peu gênant à avouer, il m'arrive de m'éclipser dans une cabine juste pour avoir un tête-à-tête avec moi-même. Les occasions sont nombreuses et variées : quand je n'en peux plus d'entendre parler Rosalie (ça arrive !), quand je sais que dans dix minutes, j'ai un gros examen et que je veux faire descendre mon stress, quand ça bourdonne dans ma tête et que je cherche un peu de silence ou quand j'ai de la peine et que je ne veux pas pleurer devant les autres. C'est le meilleur endroit du monde dans l'école pour pleurer en paix. Ça m'est déjà arrivé. Mes grosses colères se transforment souvent en larmes qui soulagent. Pleurer, c'est évacuer le trop-plein. Ma mère dit souvent ça. Elle est une pleureuse professionnelle.

Là, ce soir, je voudrais pleurer. Inonder la salle de bain. Le corridor. Le gymnase. L'école. Mais pour l'instant, je bous de rage. Je suis tellement fâchée.

Dans les toilettes pas du tout silencieuses ce soir, dans la dernière cabine du fond où je pensais avoir un peu la paix, en remettant mes vêtements en place, je viens de lire un graffiti horrible : Fred m'énerve. Avec plein de petits + et d'éclairs tout autour ! On peut difficilement le manquer. Le tout écrit avec un feutre noir indélébile. Je le sais. Instinctivement, j'ai mouillé un peu mon index pour tenter d'effacer ce que j'ai vu. Ma bave n'est clairement pas assez puissante.

Qui peut trouver que Frédéric est énervant ? Franchement ! C'est tellement impossible ! Il est le plus charmant, le plus attentionné, le plus beau, le plus tout ! C'est une jalouse qui a écrit ça, c'est certain ! Assise sur la cuvette, tout habillée, dans des toilettes bourdonnantes de filles qui jacassent, je réalise combien j'aime Frédéric. Je n'avais jamais ressenti ça aussi fort. À ce moment précis, je suis prête à sortir mes griffes pour lui. Pour le défendre. Pour dire à la Terre entière que ce qui est écrit est faux, horriblement faux, épouvantablement faux ! Je ne soupçonnais pas que mon amour était si vif, si intense. Ça aussi, ça me donne le vertige. Ces trois petits mots m'ont piquée en plein cœur comme une flèche bien acérée.

Je voudrais grafigner les mots avec le bout d'une règle ou l'extrémité d'un stylo pour les faire disparaître. Je voudrais gratter la peinture pour l'écailler et voir les mots se désagréger en miettes infimes. Mais je n'ai rien sur moi. Je veux effacer les traces. Toutes. Tout de suite. Mais je dois me résigner. Même si j'avais de quoi rayer le message, est-ce que je le ferais ? Je lis toujours les graffitis que je rencontre, à l'école, sur les bancs au parc, sur les tables de pique-nique, les pupitres parfois et même les gros sur les murs, mais je n'en ai jamais fait. Jamais osé. C'est mon côté « trop rangé » ou « trop responsable ». Mais si je m'écoutais là, et surtout si j'avais un gros marqueur entre les mains, je pense finalement que je barbouillerais le mur tout entier. Que quelqu'un me donne un pot de peinture et je repeins la cabine à la vitesse de l'éclair.

Je suis incapable de bouger. Je dois prendre quelques minutes avant de sortir, autrement, j'aurai l'air d'une furie. Tout s'entrechoque dans ma tête.

Quand on dit « l'envers de la médaille », je comprends maintenant le sens de cette expression. J'ai toujours aimé lire les graffitis. Ils sont des intrusions dans les pensées intimes de quelqu'un. Je trouvais ça divertissant, un peu comme un magazine à potins qu'on feuillette juste pour satisfaire notre curiosité. C'est aussi un peu comme un Facebook version ancienne. On dit tout haut ce qu'on pense tout bas, mais anonymement. On reste caché, mais on s'exprime. Avant que ça m'arrive à moi, je ne comprenais pas que c'était souvent mesquin et blessant. Prendre la parole en ne dévoilant pas qui on est, c'est minable. C'est la voie facile pour exprimer le fond de sa pensée sans en assumer la portée. C'est se cacher et fuir les conséquences de nos pensées. C'est être semi-public. C'est être à demi soi. Je n'avais pas compris que ça pouvait être dangereux de prendre la parole anonymement.

En fait, un graffiti devient une forme de pouvoir masqué. C'est pirater la vie des autres en n'étant même pas capable de les regarder dans les yeux. Une chose est sûre, c'est un coup bas. Légal, mais aucunement honorable. Je vois désormais les graffitis d'un autre œil.

Justement, en fixant ces trois petits mots, je remarque un détail. J'approche ma tête du mur à un point tel que mon nez y est. Puis, je recule précipitamment.

Il y a un faible E à la fin de Fred. Il est tout pâle, mais il est bien là. Il y a Fred, pour Frédéric, et Frede pour moi. C'est donc de moi qu'on parle. Moi. Pas Frédéric.

Moi.

Moi, Frédérique. C'est moi qu'on trouve énervante.

Moi.

Le choc de l'intuition

J'ai mal au cœur. J'ai plus qu'un petit tourbillon dans la tête, je suis au centre d'une terrible tornade. J'ai trop le goût de hurler et de pleurer. Mais je ne veux pas que ça passe. Je veux savoir. J'ai besoin de savoir.

C'est moi qui énerve quelqu'un?

Qui?

Une fille puisqu'on est dans les toilettes... des filles!

Qui j'énerve comme ça?

Pourquoi j'énerve quelqu'un?

Qu'est-ce que j'ai fait?

Qui?

Qui?

Malgré la colère qui a envahi toutes mes cellules et tous les pores de ma peau, une chose m'étonne. J'ai une mini-parcelle de paix qui flotte en moi : je suis soulagée que ce ne soit pas de Frédéric dont on parle. Ça me fait réaliser combien je l'aime. Cependant, ça ne veut pas dire que je suis contente d'être la cible de ce graffiti. Pas du tout.

Mon envie de prendre un crayon et de barbouiller les murs se fait plus intense. C'est vraiment une chance que je n'ai pas de crayon, autrement je pense que je pourrais faire une niaiserie.

Mon intuition était bonne. Mon sixième sens avait raison. C'est complètement fou ! Comme si mon autre moi à l'intérieur SAVAIT. C'est comme si j'avais su d'avance que j'allais venir dans cette cabine des toilettes et que j'allais voir ça. Je pouvais bien *feeler* tout croche. Qui veut savoir qu'il énerve quelqu'un qui n'ose même pas le lui dire en pleine face, mais qui l'étale à la vue de toutes les élèves de l'école ?

Toc ! Toc ! Toc ! Quelqu'un tambourine sur ma porte.

— Ça va, là-dedans ? Ça fait mille ans que tu es là !

J'ai zéro envie de parler. Je fais un « hum hum » anonyme.

— Hein !? Fred ! C'est toi ? Je vois le bout de tes bottes. Tu ne peux pas te cacher avec ça aux pieds, disons ! Ça va, t'es sûre ? On te cherchait partout... Réponds !

Z.U.T. Bottes de malheur ! Impossible de rester muette. Rosalie va taper sur la porte jusqu'à ce que je donne un signe de vie plus convaincant. Elle est même capable de se glisser en dessous de la porte. Je ne la mettrai pas au défi de le faire ; elle a déjà exécuté la manœuvre dans un cours de gym.

— Euh oui, oui! Ça va! J'avais juste un peu mal au cœur. J'ai pris quelques minutes pour que... pour... que...

La colère empêche mes mots de sortir intelligemment. J'ai l'air de m'être fait réveiller.

Un éclair d'espoir : c'était peut-être un cauchemar ? J'ai le don d'espérer l'impossible parfois. Je tourne la tête. Désespoir. Le graffiti n'a pas bougé. Il existe vraiment.

— Tu sors, Fred, ou je dois aller te chercher ?

— J'arrive ! J'arrive ! Va danser, je vous rejoins dans une minute. Sinon, c'est correct, je te donne la permission de venir me chercher.

— Dac! C'est parti! 60, 59, 58, 57, 56, 55, ...

J'entends sa voix disparaître au son de son compte à rebours. Je n'ai pas vraiment le choix. Et puis, je ne pourrai pas rester cachée ici toute ma vie. Go! J'y vais.

Après avoir ouvert la porte, je me dirige vers les lavabos et je me lave les mains. En relevant la tête, je m'aperçois dans le miroir. Un déclic encore. Je m'observe minutieusement comme si je ne m'étais jamais vue auparavant. Comme si je sortais d'un film de science-fiction dans lequel on aurait changé mon « extérieur ». Je scrute tous les détails de mon apparence. Qu'est-ce qui cloche en moi ou sur moi et qui dérange les autres ? Ça se voit sur ma face ce qui cloche ? Je m'approche un peu de la glace pour mieux m'examiner. Ainsi placée, je capte aussi un plus grand angle derrière moi. Je vois les autres. Les potentielles auteures de ce graffiti. Suis-je l'intruse parmi les ennemies ? Ou il y a une ennemie – la mienne – parmi nous toutes ? Dans quel clan suis-je ? Comment savoir laquelle est la coupable ?

Pour rajouter à mon angoisse, une autre équation s'impose. Si j'ai lu le graffiti, d'autres aussi l'ont fait. Ce message a voyagé. Ce message a été décodé par d'autres filles. Qui est d'accord ? Qui s'insurge ? Pourquoi aucune d'entre elles n'a cru bon de l'effacer ? Peut-être que ça veut dire que tout le monde me trouve énervante ?

Ça y est. Je doute à la puissance mille. Toutes ces filles, TOUTES, sont suspectes.

En me dirigeant vers le gymnase, j'ai les jambes molles, la gorge nouée et une furieuse envie de pleurer. Mais la colère qui bout dans mes veines active mon adrénaline et me rend capable d'affronter tout ça. J'ai besoin de vérifier des choses avant de retourner à la maison.

Chaque fille de l'école est possiblement LA graffiteuse responsable de mon tourment ou en accord avec ce qui est écrit. Malgré moi, je me sens projetée dans une enquête. On dirait que je mène une double vie. Tous mes sens sont en éveil. Je suis poussée par une seule idée : comprendre. J'analyse tous les regards qui passent près de moi. Je me méfie de tout le monde.

J'hallucine ou tout le monde a désormais un air louche ? J'essaie de trouver mes amies en tendant le cou avant que Rosalie rapplique. Une chair de poule constante m'envahit. Mon intuition se métamorphose en symptômes physiques. On ne peut pas dire que c'est la soirée de mes rêves !

— Ahhhh ! Enfin, t'es là ! Je te donnais deux minutes de plus avant d'y retourner ! Tu vois comme je suis gentille..., me lance Rosalie en m'attrapant par le bras.

— Je suis là, dis-je d'une voix aussi normale que possible.

— Quoi encore ? Tu as eu une idée ? Tu as eu un flash ? Tu te caches aux toilettes pour penser? lance Zoé sur un ton que je n'aime pas trop. (On dirait qu'elle veut me provoquer ou rire de moi...)

— Ben non! dis-je sèchement.

— Voyons, Fred! C'était une farce! Qu'est-ce que t'as? s'étonne-t-elle.

— Tu ne t'es pas chicanée avec Frédéric, au moins? Il t'a fait de la peine? s'inquiète Emma.

— Ben non! Arrêtez! Ya rien...

— Ouin, il me semble..., continue Zoé sans me regarder.

BANG! Encore une intuition.

L'auteure du graffiti est une de mes trois amies. J'en suis presque sûre. Ou bien elles le savaient et ne m'ont rien dit. Une chose est certaine: elles sont dans le clan ennemi.

J'essaie de ne rien laisser paraître. Elles m'ont trahie. Je le sens. Juste ici près de mon cœur. J'ai besoin d'air... Vite!

— Tu vas où encore ?

— Besoin d'air.

— On vient aussi ! Allez, les filles !

J'aurais préféré être seule. Mais si je le leur disais, elles me bombarderaient de questions. Or, c'est plutôt moi qui ai envie de les interroger. Les suspectes, ce sont elles !

— Il me semble que c'est bizarre, ce soir, vous ne trouvez pas ? dis-je en cassant la glace.

— Bizarre comment ? demande Emma.

— Bizarre comme dans « Zoé danse pour une fois ! » s'exclame Rosalie en poussant Zoé du coude et en lui faisant un clin d'œil.

— Ouin, c'est vrai ! Tu danses pas mal pour une fille qui n'aime pas ça d'habitude, la taquine Emma.

— Quoi ? Qu'est-ce que vous dites ? Pas rapport...

— Ouin, ouin, il me semble... Raconte donc ! Ya sûrement quelque chose..., insiste Rosalie.

— Ou quelqu'un..., ose Emma en souriant.

— Arrêtez donc !

— Tu ne trouves pas, Fred ? demande Rosalie.

— Ouais, ouais... c'est vrai ! Je n'avais pas vraiment remarqué, mais parce que vous le dites, là, j'avoue que tu dansais pas mal et pas mal bien, même...

Je me suis fait prendre. La conversation a dévié. Ce n'est pas comme ça que je vais obtenir des infos. À ce moment précis, en train de grelotter dehors sans ma veste, je ne sais plus si ma chair de poule est causée par ma découverte ou par la température qui fraîchit. Mais je sais que je suis une piètre détective. Vraiment, je m'en fous un peu de savoir si Zoé a tellement le béguin pour un gars qu'elle a répété des pas de danse seule dans sa chambre, peut-être même devant le miroir, en imitant des mouvements vus dans des vidéoclips. Vraiment, je m'en fous. Je ne veux même pas savoir qui est l'élu qui lui fait perdre la tête. Je veux simplement savoir qui un jour a pris un crayon, l'a apporté dans la toilette du fond et a pris le temps d'écrire ce message démolisseur. Qui?

Si c'est une de mes amies, je veux le savoir. Mais la question ne sort pas directement. Elle reste prise dans ma gorge. Je veux connaître l'auteure, mais en même temps, je ne veux tellement pas que ce soit une de mes amies. J'ai peur de découvrir son identité. En même temps, je me dis que si c'est l'une d'entre elles, je veux le découvrir et non qu'elle me l'avoue. Je veux la démasquer. Je suis au milieu d'un champ de bataille. J'ai hâte d'être chez nous, car je suis totalement perdue dans mes pensées. Je suis perdue dans mon cœur.

— T'avais pas remarqué, Fred ? Eh bien, t'es vraiment bizarre ce soir...

Moi ? Bizarre ? Non ! Non ! Ce sont elles, pas moi !

Je répète cette affirmation dans ma tête pour tenter de me convaincre plus qu'autre chose. Il faut bien que je me rende à l'évidence. Leurs discussions ne sont pas louches pour deux sous. Elles sont justement... normales. Se taquiner à propos d'un comportement nouveau qui pourrait avoir un lien avec un nouveau gars qui nous est tombé dans l'œil, c'est vraiment nous, ça. Et c'est terriblement banal. Rien de suspect. Juste notre réalité normale. Habituelle. Classique. Ordinaire.

— Allez, on rentre ! On en jasera tantôt dans l'auto. Ma mère va arriver bientôt. On va aller profiter des derniers morceaux de musique. Go !

Emma se fait rassembleuse. Rosalie est pétillante comme toujours. Zoé semble un peu plus enthousiaste que d'habitude à l'idée d'aller danser. Mais rien d'exceptionnel. Mes amies sont... mes amies.

Reste que mon doute n'est pas du tout effacé. On ne s'en débarrasse pas si facilement. L'absence de preuves ne prouve pas leur innocence.

Je les suis à l'intérieur, mais je suis encore chamboulée.

Jusqu'à la toute fin de la soirée, malgré les bras de Frédéric pour un « slow » qui aurait dû être magique juste avant qu'il quitte l'école avec ses amis, malgré les accolades d'Emma tentant de me réconforter d'une peine dont elle ne sait rien pour le moment, malgré les sourires tout autour de moi, malgré la musique entraînante, malgré la bonne humeur ambiante, malgré le fait que tout le monde semble s'amuser follement, malgré le bonheur naissant dans les yeux de Zoé, malgré Rosalie qui essaie de me faire rire en créant des danses complètement folles, je n'arrive pas à faire taire les voix dans ma tête. Je reste sur mes gardes.

Je suis la zombie de service. J'ai le regard perdu, suspendu aux moindres détails qui n'en sont peut-être même pas. Je me sens lourde, coincée en dedans. Blessée, aussi. Sans arriver à pleurer la guerre qui se joue en moi. J'ai juste envie d'être chez moi. Toute seule. Dans le silence. Pour mieux entendre ce qui se trame en moi.

Alors quand Zoé annonce que sa mère est arrivée, je suis la première à embarquer dans la voiture. Toutes les quatre installées dans les bancs arrière de la mini-fourgonnette, nous reprenons la discussion.

— Ahhh! Ça a fait du bien cette soi-rée-là! s'exclame Zoé. C'est vrai! On ne s'est pas vues beaucoup ces derniers temps... Hein, Frédou?

— C'est un reproche? dis-je, piquée à vif.

— Ben non! C'est pas un reproche! Pourquoi? C'est juste une constatation. T'es bien à pic!

— C'est vrai! T'as l'air fâchée, Fred. Je ne comprends pas... Tu avais aussi hâte que nous d'aller à la danse, s'étonne Rosalie.

— T'es sûre, sûre, sûre que tu ne t'es pas chicanée avec Frédéric? Tu peux nous en parler... Ben pas là, peut-être. Mais demain, genre? On est capables de garder un secret, tu le sais bien, chuchote Zoé en pointant sa mère du menton.

— Non! Arrêtez! Lâchez Frédéric! Quoi, vous aimeriez ça qu'on se laisse?

— Ben voyons donc, Fred! Personne n'a dit ça! proteste Rosalie.

— On comprend juste pas trop..., lâche Emma.

— Quoi !? On ?? Vous parlez de moi dans mon dos ? dis-je sur un ton un peu trop indigné.

C'est là que mon amie Emma – mon amie douce, calme et réservée – explose littéralement. Sa colère me surprend et me secoue.

— Clairement, TOI, tu ne te vois pas aller ! Je ne peux pas dire nous. Depuis le milieu de la soirée qu'on te fait remarquer que t'as l'air bizarre. À mille lieues de la Fred de d'habitude. À mille lieues aussi de nous ! Alors, allume et arrête de voir des complots. On en a discuté. Pas dans ton dos, là ! Juste parce que tu n'étais pas là ! Juste parce que quand on t'en parle, tu fais comme si tout était correct ! Et surtout juste parce qu'on s'inquiétait..., crache Emma avant de se tourner vers la fenêtre, blessée par mes propos.

Je dois me rattraper. Et vite.

— Ohhh... non ! Oui... ben... c'est compliqué ! J'imagine que ça doit être juste qu'on ne s'est pas vues beaucoup, comme tu l'as dit tantôt, Zoé...

— Ouin..., marmonne Zoé, pas du tout convaincue par ma confidence.

L'atmosphère est à couper au couteau. Vraiment pas jojo.

— On était toutes trop occupées. C'est normal ! Ça arrive ! On va se reprendre, c'est tout. Le week-end prochain, on va encore à ton chalet, Emma ? demande Rosalie, toujours aussi allergique aux chicanes.

— Bien sûr ! lance Emma en sortant de sa bouderie.

Zoé et Rosalie crient « Yé ! » en tapant dans leurs mains et en rebondissant sur leur siège. Je n'avais pas prévu le coup qu'il fallait paraître si excitée. En fait, de mon côté, je ne suis plus vraiment enchantée à l'idée de partir avec mes amies pour tout un week-end. En tout cas, il faudrait que mon enquête soit close et que tout se soit calmé en moi.

— Ohhhhhhhhh ! T'as l'air tellement contente ! T'as l'air d'avoir hâte, hein, Fred ? ironise Zoé.

— Tu viens encore ? Tu viens avec nous ?

— Je... je... ne sais plus trop, dis-je.

— Comment ça ? questionne Rosalie d'une voix pleurnicharde.

— J'ai comme l'intuition que je ne devrais pas...

— Franchement !

— Qu'est-ce que tu dis là ?

— Bon ! Ça recommence ! Tu vois ce que je te disais, Fred... t'es bizarre ! Mais si tu dis que tout est normal : super ! On va faire semblant de te croire. C'est juste plate. Ben ben plate ! conclut Emma.

Heureusement, je n'ai pas à m'expliquer, car la mère de Zoé se stationne juste devant chez moi.

— J'ai juste l'impression que vous vous amuseriez mieux sans moi. Mais on s'en reparle. Promis, dis-je avant de sortir de l'automobile.

En claquant la porte derrière moi, je me sens mal. J'ai peut-être tout inventé dans ma tête. Mais je crois tellement à mon scénario catastrophe de jalousie et de trahison que j'ai moi-même – et toute seule à part ça – bousillé notre amitié. Et si j'avais tort ?

Une amitié, c'est aussi une porte qu'on ouvre. Tenter sa chance et aller vers l'autre. Il faut faire attention, une porte, ça se ferme avec fracas, mais ça se rouvre plus difficilement. Suis-je en train de perdre la tête ? Est-ce normal que je soupçonne mes amies ? Est-ce que je surréagis ? C'était exagéré ? En marchant vers la porte de la maison, je n'ose pas me retourner avant d'avoir entendu le bruit de la voiture qui s'éloigne. Juste là, je me suis donné la permission de regarder. Avant, j'avais trop peur de croiser le regard d'une de mes amies, même au travers d'une vitre.

Je pense que j'ai honte de mon attitude, mais en même temps, je me dis que c'est leur faute. C'est à cause d'elles que je me sens si mal et que j'ai gâché ma soirée de danse. J'ai raison d'être fâchée. Elles sont contre moi. Je l'ai bien vu, elles ont parlé dans mon dos. Elles discutent à mon insu de ma façon d'être et de ce que je fais. Alors, il est très possible que ce soit l'une d'elles ou même les trois ensemble qui aient écrit le graffiti.

Je retrouve ma colère, et on dirait que ça me fait du bien de faire équipe avec elle. Je ne suis pas seule de mon côté contre leur trio.

Je ne veux pas être laissée de côté. Je ne veux pas être seule. Je ne veux pas énerver mes amies. Je ne veux pas avoir de la peine. Je ne veux pas être en colère. En même temps, je ne veux pas me défaire de ces émotions. On dirait que ça conforte mes agissements bizarres. Ce n'est pas tellement moi d'être bête avec mes amies. Ce n'est pas tellement moi de baisser les bras ! Ce n'est pas tellement moi de ne pas affronter les événements et de me cacher. Ce n'est pas tellement moi de me taire.

Mais c'est la première fois que je me sens aussi directement attaquée.

Et je ne sais pas comment agir.

En rentrant dans ma chambre, j'examine tout comme si je voulais m'assurer que rien n'a changé depuis mon départ. On dirait que je scrute une scène de crime. Je me sens encore détective. Et s'il y avait un indice qui me permettrait de comprendre ce qui se passe ?

Pourtant, il n'y a rien.

Tout est là. En place. À la bonne place.

Sauf... moi.

C'est en moi que quelque chose a changé.

Ce soir, c'est sur mon divan, pelotonnée dans une doudou, que je vais dormir. J'ai besoin de réconfort et c'est toujours là que je vais le chercher. C'est mon ancre qui me tient à flot quand tout chavire, et j'en ai particulièrement besoin ce soir, car mes pensées sont à la dérive. Je vais m'échouer sur mon divan après avoir enfilé mon gros pyjama bien chaud.

J'ai besoin de réchauffer mon cœur. J'ai besoin de pleurer. Et c'est en faisant ça que je m'endors sur mon divan en ayant peur d'être devenue une fille que personne n'aime vraiment, mais que tous font semblant d'aimer. Je ne veux pas être une amie qui énerve les autres.

Bouderie extrême

J'ai dû faire des allers-retours entre mon lit et mon divan plusieurs fois. En route, j'ai laissé tomber tantôt ma veste, tantôt un drap, tantôt mon bas de pyjama. J'ouvre les yeux en étant assez consciente pour les river sur mon iPod touch : il n'est que 6 h 04. Un samedi matin. Je pourrais me rendormir. J'essaie de mettre ma tête sous mon oreiller et mes couvertures – enfin, celles qui me restent – pour me forcer à retrouver mon sommeil. Oh que ça ne fonctionne pas ainsi ! Pas du tout ! Ce n'est pas simplement mon corps qui s'est réveillé tantôt pour me permettre de tendre le bras jusqu'à mon iPod et de diriger mon regard vers les chiffres lumineux! Oh non! Mes esprits se sont immédiatement remis en marche aussi, totalement malgré moi. J'aurais grandement préféré que le bruit cesse dans ma tête. Mais, c'est reparti! Un simple petit geste et mon mental redémarre aussitôt. Il ne pouvait pas prendre congé jusqu'à midi? J'aurais eu la paix.

Toutes les scènes d'hier me reviennent en tête. Ce n'est pas vraiment agréable. J'aurais cru que ma colère se serait estompée un peu. Mais je pense que la simple idée d'avoir été trahie par mes amies me met totalement à l'envers. Et je ne sais pas comment réagir. Je leur en veux tellement! En repensant à leur allusion hier soir dans la voiture, un point se forme de nouveau dans ma poitrine. J'ai le plexus solaire emmailloté dans une boule de laine. C'est notre professeur de yoga, qui vient nous voir une fois par saison à l'école, qui nous a expliqué que tout ce qui nous chicote et nous énerve s'accumule en une grosse boule sale, dure et laide juste là, au milieu de notre poitrine. Présentement, je la sens bien comme il faut si je fais glisser mes doigts de la base de ma gorge, en partant de mon cou, jusqu'à mon nombril. Aïe ! Quand j'arrive en plein dessus, ça fait un pincement. Qui a dit que nos émotions n'étaient pas tangibles ? Je viens de les toucher !

Puisque je n'arrive plus à dormir, je m'extirpe de mon lit, avec mon iPod et ma doudou comme bagages (et ma mauvaise humeur qui ne me lâche pas d'une semelle), pour me diriger vers mon divan rose, haut lieu de réflexions. En passant, j'attrape le dictionnaire sur l'étagère au-dessus de mon bureau. Les yeux encore tout endormis et les mains malhabiles, j'ouvre *Le Robert*.

Intuition: Nom féminin.
1. Forme de connaissance immédiate qui ne recourt pas au raisonnement.
2. Sentiment plus ou moins précis de ce qu'on ne peut vérifier, de ce qui n'existe pas encore.
Voir aussi : inspiration, pressentiment.

Je suis assez d'accord avec la deuxième définition même si elle est ultra-floue. C'est rare que même le dictionnaire reste vague.

Je décide d'interroger mon autre meilleur ami : mon iPod touch et son inséparable copain, Google. Depuis que j'ai acheté mon iPod, il me suit partout... ou presque. Je ne le trimballe pas à l'école : trop de risques. Mais j'aimerais ça. Je pourrais prendre des photos (j'en aurais pris une du graffiti hier!), consulter mes courriels et jouer à des jeux quand je ne sais pas trop quoi faire sur l'heure du dîner. Mais il y a eu tellement d'histoires de iPod volés ou brisés en plus de tous les cas d'abus (genre un iPod en classe qui sonne pendant que le prof parle!) que c'est désormais interdit entre les murs de notre école. Un peu radical comme décision. Le conseil des élèves, avec Emma en tête, a essayé de faire changer la décision, mais la direction n'a jamais plié. Je m'en sers donc 24 heures sur 24 MOINS les heures de classe, donc 16 heures par jour. Je compte les heures où je dors, car il reste souvent sous mon oreiller. Je règle le son juste assez fort pour que la musique traverse les plumes de mon oreiller et je tombe endormie ainsi. Le jour, je le glisse dans la poche arrière de mon jean dès que je mets les pieds dans la maison. Je sais que c'est une mauvaise habitude. Emma a « oublié » le sien une fois quand elle est allée à la toilette... Résultat : elle a eu une giga-peur ! Pour le réanimer après son plongeon, elle a dû le mettre dans un bol de riz pendant toute une journée. Il a fini par sécher complètement et redémarrer sans trop de séquelles !

Quelques pianotements plus tard, j'apprends que le mot « intuition » vient du latin *intuitio*, qui signifie l'action de voir une image dans une glace, et qu'il désigne une forme de connaissance de notre esprit.

J'aurais aimé que le dictionnaire ou Google me donne une explication juste et claire du type « Quand vous êtes aux prises avec une intuition, il faut absolument la suivre et y croire. Donc si vous doutez de quelqu'un, vous avez raison et tenez à votre pensée ». Mais je ne lis rien d'aussi précis.

« Voir une image dans une glace », ça m'intrigue. Mon intuition serait le reflet d'une partie de moi qui n'est pas visible habituellement ? Et si je me mets face à un miroir, est-ce que je comprendrai mieux ? J'essaie. Je n'ai rien à perdre.

Debout devant le miroir de ma chambre, j'examine mon visage. Sincèrement, je ne vois rien de nouveau. Je vois que je suis fatiguée, car mes yeux sont pochés. Je vois aussi que je n'ai pas le regard aussi pétillant que d'habitude. Il est sombre. Tourmenté. Oh ! Je remarque une autre chose, peut-être l'indice que je cherchais : mes sourcils sont froncés en permanence. Suis-je ainsi depuis hier ? Quand j'ai des soucis ou quand je suis fâchée, mes sourcils se plissent vers l'arête de mon nez. En plein comme je viens de voir. Mais ce n'est pas une grande révélation. Je savais que j'étais fâchée. Une autre définition qui ne m'aide en rien.

Puisque j'ai mon iPod entre les mains, je vérifie si mes amies m'ont donné signe de vie. Rien dans mes courriels. Rien dans les messages textes. Silence radio.Un petit ange dans ma tête me dit qu'il n'est même pas 7 h et que c'est simplement très normal qu'elles dorment encore. Surtout après notre soirée d'hier. Le petit diable, lui, me hurle : « Tu vois bien ! Ton intuition était bonne ! Elles te cachent quelque chose. Tu fais bien de douter d'elles. Tu as raison. Elles t'ignorent. »

Je penche dangereusement du côté du petit cornu. Pourquoi n'ont-elles rien écrit hier soir ? La raison est simple, c'est parce qu'elles se sentent coupables ! Ou démasquées. Ou les deux. J'ai raison. Elles ont tort.

Instinctivement, je me croise les bras en m'asseyant en indien sur mon divan. C'est la position de la colère et de la baboune. Impossible de me prélasser et de me détendre, je suis tendue comme la corde d'un arc. Sur mon plexus solaire s'accumulent des élastiques sur lesquels le diablotin s'amuse à tirer pour que ça pince directement mon cœur.

Ça ne m'arrive pas vraiment souvent d'être ultra en colère. Même qu'en cherchant, je n'arrive pas à me rappeler la dernière fois où notre quatuor d'amies a été aussi secoué. Il y a bien eu quelques bouderies minimes et quelques engueulades bien senties, mais jamais bien longues ni jamais trop sérieuses. On n'est pas vraiment expertes dans l'art de se chicaner et c'est bien mieux ainsi. Quoique là, je saurais peut-être davantage quoi faire si je m'étais chicanée plus souvent avec d'autres. Faut-il s'exercer à être en chicane, dans la vie? Au lieu de nous expliquer pendant tout notre primaire comment régler nos conflits ou nos différends avec des messages clairs, on devrait plutôt nous montrer quoi faire quand on est plongé au cœur d'un tremblement de terre qui risque de créer des failles dans une de nos amitiés. Est-ce qu'être en colère s'apprend? On s'améliore avec le temps? Y a-t-il un manuel? Si oui, je le veux. Google, peux-tu m'aider?

C'est encore le festival des questions dans ma tête. Plus je brasse le tout, plus ça devient épais, lourd et collant. Comme une pâte gluante qui s'infiltre dans tous les recoins de mon esprit. C'est dégueu!

Je dois parler à quelqu'un.

On oublie les amies.

Aucune envie d'entendre ma mère sur le sujet.

Frédéric?

Oui, Frédéric est le seul qui pourra vraiment m'aider. Ou bien il va me dire de ne pas m'inquiéter, ou bien il va me conforter dans mes suppositions.

Non, ce n'est pas vrai. Frédéric n'est pas comme ça. Il est l'antithèse de ce genre de chum. Lui, il s'en fout d'avoir raison ou tort. Il peut aider les autres à voir les deux côtés d'une médaille. Parfois, il affirme qu'il y en a plus que deux, même si on ne les voit pas. Je l'appelle mon allumeur d'idées. Il braque les projecteurs sur des trucs que je ne vois pas toujours d'emblée. Il soulève des questions auxquelles je n'avais jamais pensé. Et pourtant, je suis probablement la championne des grands questionnements qui n'en finissent plus. Lui, il sait trouver la question qui me fait voir le problème sous un tout autre angle. Il ne dit jamais « Tu te trompes », mais lance plutôt des pistes pour qu'une étincelle de réflexion nouvelle jaillisse. Il ne veut pas dire quoi faire. Il ne pense pas savoir mieux que moi (comme ma mère !), il veut juste que je fasse la meilleure chose pour moi.

Des fois, j'aimerais mieux me faire servir une réponse toute cuite dans le bec, des mots prémâchés ou une solution claire et unique à appliquer. Ce serait plus simple, mais Frédéric n'aime pas que les autres pensent à sa place et donc, il ne le fait pas, même pour moi... Surtout pas pour moi. Une fois, je me suis un peu plainte à ma mère à ce sujet. Elle m'a défendu de chialer sur ce point à nouveau. Jamais. De toute ma vie. Elle croit que c'est une qualité inestimable (ce sont ses mots!) et que quelqu'un qui nous laisse être nous-mêmes, qui nous laisse trébucher, nous faire mal un peu, mais qui est là pour nous aider à nous relever, c'est mille fois mieux qu'une personne qui prétend connaître mieux que nous ce qui est bien pour nous, qui se dit : « Moi, là, je te connais mieux et plus que toi-même! » Elle affirme que le monde est plein de ce genre de personnes. PLEIN. Qui veulent faire rentrer leurs idées et leur conception de la vie dans **NOTRE** tête. Il faut les fuir ! Chercher les personnes qui nous aiment pour ce que nous sommes. J'avais trouvé que son discours ressemblait à une réplique de film rose bonbon, mais je dois avouer qu'elle n'a pas tort.

Impossible de téléphoner à Frédéric à cette heure, alors je lui envoie un texto.

> Bonjour ! Tu es levé ?

Sa réponse ne se fait même pas attendre 15 secondes.

> Oui. Revenu de ma course.

Ah oui ! J'ai un amoureux matinal qui court et qui voudrait bien que je le suive sur les trottoirs à l'aube. « Ça vide l'esprit ! » essaie-t-il de me convaincre. Très peu pour moi...

> Tu peux m'appeler?

> Ok.

J'ai à peine le temps de mettre la main sur le téléphone que la sonnerie retentit.

— Allô?

— Oh! T'es la seule debout à ce que je peux entendre.

— Oui... ça va?

— Top! Ma course m'a fait du bien. Faudrait que tu viennes avec moi...

— Ouin, ouin... Un jour.

— Ça va, toi, ou tu es encore embrumée comme hier?

— Ça va...

— Je ne suis pas convaincu. Tu vas me dire ce qui te chicote?

— Hum... c'est pas facile!

— Fred, tu peux tout me dire, mais faut que tu commences par ouvrir la bouche, placer tes cordes vocales pour arriver à faire grimper un son de ta gorge, changer ce son en syllabes qui forment un mot, le tout préférablement en français, ce serait plus simple, et aussi assez fort pour que je les entende, que...

— Ok, ok! J'ai compris! Tu ris de moi?

— Non, je détends l'atmosphère. Si tu courais, tu serais plus déten...

— C'est beau! J'y vais! Pas courir, mais plutôt te dire ce qui ne va pas. Voilà... Est-ce que je t'énerve?

J'ai dit ça d'une traite sans respirer. Plus on hésite, plus nos mots sont pressés quand ils sortent finalement de notre bouche. Ils déboulent un peu n'importe comment. On dirait qu'ils font tous la course pour savoir qui va arriver en premier. Qui va fuir le plus vite. Peut-être est-ce parce qu'on veut s'en débarrasser? Les sortir loin de soi pour ne plus les sentir tourbillonner en soi en se heurtant partout et tout spécialement sur notre cœur.

— Si quoi ?

— Est-ce que je t'énerve ? redis-je en divisant toutes les syllabes. Ou qu'est-ce qui t'énerve chez moi ?

— Mais rien... Je t'aime, moi, Fred. Tu ne m'énerves pas.

— Sûr, sûr ?

— Voyons, c'est quoi ? Une crise de jalousie ? Où vas-tu chercher ça ?

— Non, c'est pas toi... c'est que....

— Fred, est-ce que tu es en train d'inventer des trucs qui n'existent pas ou tu te bases sur des faits ?

— Tiens, tu parles flou comme le dictionnaire...

Et notre conversation se poursuit comme ça. Jusqu'à ce que je finisse par lui avouer que j'ai découvert un graffiti dans les toilettes des filles. Plus je raconte ce qui s'est passé, plus je me mélange. On dirait que je ne sais plus trop ce qui est réel et ce qui est imaginaire. La frontière est mince entre les deux dans ma mémoire. Mon intuition et ensuite mon désir de voir un signe partout ont déformé mes souvenirs. Quelque part dans ma tête, mon petit diable doit bien rire. Mais pour l'instant, je ne l'entends pas.

— Fred, une intuition, ce n'est pas une vérité, là! C'est vague!

— Je sais! Mais c'était fort, vraiment FORT, ce que je sentais. Plus la soirée avançait, plus on aurait dit que je devinais que quelque chose allait arriver. Et bang, j'ai vu le graffiti.

— C'est ça, ton signe? La preuve de ton intuition?

— Ben! Il me semble que c'est clair! Franchement!

— Pas tant que ça, quand même!

— T'es trop terre à terre des fois. Tu ne crois pas aux signes? À la chance? Au destin? J'aurais pu aller dans n'importe quelle autre cabine, mais non, je suis allée dans celle où était le graffiti.

J'ai peut-être été guidée par une force mystérieuse cachée dans mon cerveau pour aller précisément là. J'ai trouvé sur Google que le mot « intuition » veut dire « une connaissance de l'esprit ». C'est un peu ça. Mon esprit savait, mais avant moi. C'est lui qui m'a dirigée là, en plein dans cette cabine et pas une autre. Tu ne penses pas ? C'est fou ! J'aurais pu aller dans une des neuf autres cabines, mais non, c'est elle qui était libre et qui m'attirait. J'aurais pu, aussi, ne pas aller aux toilettes de la soirée. Mais non ! Mon destin était écrit d'avance et j'avais perçu l'avertissement qui planait. C'est comme si je savais que ce que je ferais m'amènerait à découvrir un truc qui allait changer ma vie. Que quelque chose me serait révélé et que ça aurait un impact sur moi.

— T'étais pas juste en mode méga-recherche ? Tu voulais tellement trouver un truc que toute ton attention était rivée là-dessus... Si tu t'étais concentrée pour trouver des signes que la soirée était super, tu n'aurais vu que ces signes-là et non ton signe annonciateur de malheurs. Si on suit ta logique...

— Tu ne me crois pas, hein ?

— Moi, les signes, le destin tracé d'avance et tout, j'ai de la misère. Tu le sais bien.

— C'est un peu comme l'inspiration, ça arrive ! Ça ne s'explique pas, mais ça arrive et ça se ressent.

— Pour le moment, crois-moi, t'as pas ben ben l'air inspirée. T'es plutôt troublée ! Faut que tu tires ça au clair...

— Plus facile à dire qu'à faire...

— Pourquoi ?

— Tu veux que je fasse quoi ? Que j'aille voir mes amies ?

— Pourquoi pas ? Vous êtes capables de vous parler. Habituellement, vous êtes même pas mal bonnes pour le faire !

— Non. Oublie ça, c'est trop difficile. Je n'aurais même pas dû t'en parler, non plus...

— Quoi ? Tu voulais que je te dise que tu as raison de ne te fier qu'à ton intuition ? Non, je ne le ferai pas. C'est vrai que notre instinct peut nous dicter de bons gestes, mais notre intuition, je n'y crois pas toujours. Je ne dis pas que tout est faux. Je dis juste que des fois elle nous joue des tours aussi. On veut tellement y croire qu'on voit juste ça. Un peu comme l'horoscope. Si on lit qu'un malheur va nous arriver aujourd'hui, c'est clair qu'à la fin de la journée on va avoir remarqué que des trucs sont allés tout croche dans notre journée, et on n'aura même pas fait attention à tout ce qui nous a fait plaisir ou qu'on a réussi. On se programme à ne voir que les choses tristes. On ne fait que les attendre. On met nos lunettes du malheur et le reste, on ne le voit pas. Alors, Frédou, fais attention! À toi, d'abord, parce que tu n'as même pas profité de ta soirée et là, tu risques de passer un week-end plate! Et à tes amies aussi! Parce qu'elles sont tes amies, justement. Et que ce matin, elles doivent être aussi mêlées que toi parce que leur signe étrange à elles, c'est ton agissement bizarre. T'es pas comme ça, d'habitude...

— Ouin... hum...

— T'es peut-être pas contente que je te dise ça, là. T'aurais sûrement voulu que j'embarque dans ton idée de signes, mais pour savoir la vraie histoire du graffiti, faudra que tu arrêtes d'être dans ta tête et tes suppositions et que tu passes à l'action. Ou encore que tu te dises que ce n'est pas si grave que ça et que tu continues. Il n'y a pas mille solutions. Tu sais, Fred, tu ne peux pas plaire à tout le monde. C'est normal et c'est ben correct en même temps. Si tout le monde t'aimait, je pense que ce ne serait pas toujours « vrai ». Là, tu sais qui t'aime pour vrai. Les autres, c'est vraiment important pour toi qu'ils t'aiment ?

— Ben, il me semble que dans la vie tu veux que le plus de monde t'aime, non ?

— Tu serais prête à changer pour que les autres t'aiment ? À être moins toi ? Tu sais, si tu ne déranges personne autour de toi, c'est que tu ne respires pas, c'est que tu ne te démarques pas, c'est que tu ne te bats pas pour tes idées, c'est que tu ne vis pas ta vie à ta façon... Tu peux tout faire pour que les autres t'aiment, mais pendant ce temps-là tu ne t'aimes pas plus. Et tu ne fais pas les choses que TOI tu aimes. C'est vraiment ça que tu veux ?

— Oh... euh... euh...

Je suis tellement estomaquée que j'ai fait un drôle de bruit de surprise. Les arguments de Frédéric sont renversants. Difficile de le contredire là-dessus.

— T'es vraie, toi, Frédérique ! Tu ne vas pas commencer à jouer un jeu ! Mets ça au clair et avance... Tu as peut-être raison ! J'ai peut-être tort ! Ou vice versa, mais fais quelque chose. Avance...

— Ok ! Ok ! J'ai compris ! Je vais réfléchir. Disons que je ne sais pas encore quoi faire, mais je vais trouver. Tu fais quoi aujourd'hui déjà ?

— Pratique et partie de basket-ball.

— Ah oui ! J'avais oublié.

— On s'appelle plus tard, ok, ma belle ?

— Oui...

— T'es pas fâchée, hein ?

— Non. Secouée. Mais c'est correct ! Passe une bonne journée...

— Toi aussi...

— Promis !

Qu'est-ce que j'ai promis là ? Une bonne journée ? Ça va être difficile, car je vais devoir démêler tout ce qui est solidement entortillé en moi.

Même si je sais que mes sourcils sont toujours dans la même position que tantôt, je comprends que Frédéric a tiré sur une ficelle qui va peut-être démêler ma colère. Il a le tour de me dire les vraies choses. Sur le coup, ça me fâche parce que j'aurais aimé qu'il dise juste comme moi et, en même temps, parce que je sais qu'il a raison. Parler avec lui, c'est dérangeant. Nos perceptions s'entrechoquent. Nos réflexions sont décortiquées. Mais ça fait du bien aussi. C'est vrai qu'il aurait pu simplement me réconforter et me dire de ne pas m'en faire. Me bercer d'illusions, genre. Mais il a fait plus, il m'a remise devant les faits, les deux pieds dans la réalité.

Je dois passer à l'action. Mais comment ? Je n'ai pas particulièrement envie d'appeler mes amies. J'ai trop peur de bafouiller au téléphone. Il faudrait que je me prépare un texte à leur dire et il me semble que ça aura l'air faux.

Et puis, j'ai un peu honte de le dire, mais j'aimerais mieux que ce soit elles qui fassent le premier pas. Cette envie de me défiler me surprend moi-même. Je ne suis pas comme ça d'habitude! Ce n'est pas moi, ça! Du coup, je me demande même si mes idées tordues, mes intuitions et mes doutes ne sont pas en train de vouloir contrôler totalement mon esprit. Pourquoi je ne me reconnais plus? Qu'est-ce qui se passe? Où est-ce que je me suis perdue en chemin?

Ça n'a pas de sens. AUCUN! Je suis en train d'agir comme une autre personne et j'ai de la difficulté à agir comme je le fais habituellement. Où est-ce que la Fred d'avant est cachée?

Je décide d'aller me faire à déjeuner. Je marche vers la cuisine comme un zombie. J'ai la tête ailleurs. En passant près du miroir dans le corridor, j'y jette un coup d'œil et mon reflet me fait un peu peur. Je me trouve bizarre, mais je poursuis mon chemin.

— Ohhhhh! Moi, je pense qu'il y a quelque chose qui te chicote, Frédou, ce matin... Tu t'es vu l'air? Tu as eu du mal à t'endormir hier soir? Tu as passé une trop belle soirée et c'est épuisant?

Ma mère.

Je n'ai tellement pas le goût de tout lui raconter.

— C'est compliqué. Mais ça va aller. Comme tu dis, ça doit être la fatigue.

— Recouche-toi un peu! Fred, t'es pas obligée de te lever si tôt.

— Et toi, tu fais quoi? Tu retournes en maternelle?

Elle est installée à la table de la cuisine et autour d'elle il y a des dizaines de crayons de couleur.

— Haha! Très drôle! Je fais des mandalas, ça vide la tête. Je colorie tout et pendant que je m'applique, eh bien, j'oublie... tout! Ça aide mon cerveau à se mettre un peu à «off». Après, je suis mieux. Moins stressée. Moins perturbée par mille questions. Plus... plus...

plus moi, disons. Ça me permet de me centrer sur le moment présent au lieu de laisser mon imagination partir dans mille directions. Je fais ça avant de partir ce matin, car j'ai une réunion pour un gros projet tantôt. Au lieu de stresser avec ce qui vient, je me vide un peu la tête. Bah! Tu ne comprends peut-être pas...

— Non, non. Je comprends... Je pensais que c'était un peu bébé ces trucs-là, mais une fois expliqués, ça a bien de l'allure quand même... Tu peux me donner une feuille? J'ai le goût d'essayer pour voir...

Et c'est ainsi que j'ai complètement oublié de déjeuner et que j'ai passé deux heures avec ma mère à colorier un mandala. Au début, je ne croyais pas que ça pouvait marcher. Franchement, je trouvais que le coloriage, ça faisait un peu bébé. Mais, puisque je ne voulais pas retourner dans ma chambre et retrouver tous mes soucis, je les ai fuis en coloriant avec application chaque petit espace, en multipliant les couleurs et en prenant soin de ne pas dépasser. Je voulais passer le temps. Finalement, j'ai fait mieux. J'ai calmé les tempêtes dans ma tête. J'ai fait le vide. Le gros vide. Faire des mandalas, c'est hypnotisant. En le fixant pour y ajouter de la couleur, il y a une double action. Je m'extrais du monde autour en perdant la notion du temps ET je me propulse au fond de moi, là où tout est calme. Un passeport gratuit pour fuir mes problèmes. Trop génial !

Quand je suis repartie vers ma chambre, mon gros bol de céréales dans les mains, je me sentais un peu plus légère. Pas totalement, mais mieux tout de même. L'effet du mandala a une fin ; quand on le lâche et qu'on revient dans le « monde », on renoue instantané-ment, ou presque, avec notre vraie vie. Cependant, je ne me sens pas exactement comme ce matin, aux aurores. J'ai créé un peu d'espace entre moi et mes doutes et intuitions étranges. Dans cette faille se sont glissées de nouvelles interrogations.Est-ce que j'ai rêvé ? Est-ce que j'ai tout inventé ? Est-ce moi qui vais mal ? Qui Zoé aime-t-elle ? Pourquoi n'ai-je rien remarqué ? Qui est-ce que j'énerve à ce point ?

Bon. C'est revenu. Le paysage de ma chambre a rallumé mes souvenirs de la veille avec force et vigueur. En fait, mes pires craintes plutôt. Mes bottes, mes si belles bottes avec leurs paillettes et leurs étoiles, celles que j'aime tant, me rappellent maintenant la peine que j'ai eue hier. Je ne veux pas qu'elles soient associées à tout jamais à la soirée où j'ai perdu mes amies. Je ne veux pas. Je ne veux pas. Ça y est. Je pleure. Mes yeux piquent et mes larmes déboulent. Je les essuie furieusement du revers de la main. Je ne veux pas pleurer en plus.

Déjà que je ne comprends plus ce qui m'arrive. Déjà que j'essaie simplement de contrôler ma colère et que c'est si difficile. Ma colère ou ma peine? Je ne sais plus, mais je ne veux pas pleurer.

Mais reste que les larmes me libèrent un peu. Elles aussi sont en fait une faille en moi qui s'ouvre en laissant un espace pour que mes émotions sortent un peu. C'est impossible de garder un si gros paquet d'émotions en moi sans virer complètement folle. Toutes les émotions négatives sont des élastiques qui s'étirent et pincent mon cœur et je n'en peux plus. Mes larmes sont maintenant incontrôlables. Elles glissent, glissent, glissent et ma manche de pyjama, déjà imbibée, ne parvient plus à les éponger. Ce sont des larmes silencieuses au flot déferlant. Des larmes discrètes.

Est-ce que j'aurais de la peine? Cette pensée me traverse l'esprit et me donne comme un électrochoc. J'ai peur. Ça y est.

J'ai creusé un peu trop profondément en moi avec les mandalas et là tout remonte comme un geyser. J'ai peur et j'ai de la peine. Je ne veux pas perdre mes amies. Je ne veux pas me trahir. Je ne veux pas énerver les autres. Je ne veux pas énerver Fred. Même s'il dit le contraire, peut-être qu'il ment ? Peut-être qu'il n'ose pas me le dire ?

J'oscille entre la peine et la colère. Parce que je dois me l'avouer, pleurer n'a pas calmé cette dernière. Je suis fâchée contre moi de me sentir ainsi. De ne pas être capable de savoir quoi faire. D'être gênée de parler à mes amies. De pleurer comme un bébé. D'être incomprise quand je parle d'intuitions et de signes. De ne jamais être sûre de rien.

Je décide de me coucher un peu. Me rouler en boule sur mon divan, mon oreiller sur la tête pour étouffer mes soucis et me couper du monde. Je suis une tortue qui rentre sa tête dans sa carapace pour fuir son entourage le temps de se ressaisir. Elles sont chanceuses, les tortues, quand même... Cette pensée toute légère me fait du bien. Et je crois même que je me suis endormie en y pensant. Je vais prendre mon temps. J'ai le week-end devant moi pour ressortir ma tête hors de mon nid. Pour le moment, je veux arrêter les larmes. Et surtout soigner mon cœur tout crispé.

Et si...

À mon réveil, je reste d'abord terrée quelques minutes. J'étais si bien dans mon cocon. Je me sentais inatteignable et, surtout, c'était comme si tout le reste n'avait pas existé. Ce n'était pas vrai, bien sûr. Mais ces quelques heures de sommeil ont été suffisantes pour m'apaiser. Ma fatigue éclipsée, on dirait que ma colère s'est aussi diluée. Je ressens ses élans avec moins de vigueur. Je ne suis plus aussi tendue.

Étrangement, toutefois, il reste en moi une intuition. Une autre, je pense. Quelque chose flotte en moi. Comme une idée, un flash, une envie qui me serait utile. Pour le moment, c'est hors d'atteinte. Juste une impression. Encore. Mais cette fois, rien de dramatique n'y est relié. C'est juste un sentiment que ça ira bien.

Est-ce que j'invente tout ça pour me convaincre ? Possible. Mais ma petite voix a repris le boulot. Elle me crie quelque chose que je ne parviens pas encore à entendre. Notre voix intérieure parle peut-être une autre langue que nous et c'est pourquoi on ne l'entend pas distinctement tout le temps. Peut-être qu'au départ, on ne se fie qu'à son intonation, son volume, son débit, etc. Je veux l'écouter. Je veux la comprendre. Je veux surtout l'entendre clairement. Cette fois, je ne me trompe pas, elle n'annonce pas un malheur. Je perçois plutôt qu'elle m'annonce que tout ira bien... Je dois foncer.

En projetant la couverture sous laquelle je me cachais, j'accroche la souris de mon portable laissée sur la petite table près de mon divan.

Un courriel! Voilà! Je vais écrire un courriel à mes amies! Facile!

J'ai saisi mon ordi et en moins de temps qu'il n'en faut pour crier «ciseaux», j'ai aussi cliqué sur le bouton «Envoyer» en poussant un énorme soupir de soulagement. Franchement, je n'aurais pas dû attendre si longtemps avant de le faire. Je me sens libérée. Je pèse mille tonnes de moins, et mon cœur se tranquillise aussi.

Je suis allée directement au but, sans prendre de détour. Ça n'aurait servi à rien de leur écrire un long roman. Ce que je veux savoir, c'est la vérité. Donc j'ai simplement écrit: «Allô les filles. Est-ce que je vous énerve? J'ai vu LE message dans les toilettes. Fred qui se pose des questions. xxx»

Bientôt, dans deux minutes peut-être, j'aurai une réponse d'une de mes trois amies. Sûrement Rosalie. C'est elle la plus vite sur le clavier habituellement. Zoé sera évidemment la dernière à écrire. Elle a probablement huit entraînements différents aujourd'hui. Et Emma va au moins attendre une heure avant de cliquer sur « Répondre », le temps de bien choisir tous ses mots. Je les connais, mes amies... Un courriel, c'est tellement direct, rapide et efficace. Je n'ai pas été ambiguë ; mon message dit tout. Pas de sous-entendu. J'aime les courriels.

Oh tiens ! Les deux minutes sont passées. Étrange : rien. Pas un signe de Rosalie. D'autres minutes passent et rien. J'ai cliqué au moins 15 fois sur « Envoyer-Recevoir » pour vérifier l'état de ma boîte de réception. Rien. Ma colère s'est fait une nouvelle amie : la nervosité. Et toutes les deux prennent le contrôle des battements de mon cœur en plus de réactiver le flot de questionnements. Une onde étrange, comme un frisson de négativité, me parcourt le corps en entier. Ces deux colocataires de mon corps me font douter et j'élabore des scénarios catastrophes dans ma tête. Si elles ne répondent pas, c'est parce que je les énerve. Si elles se taisent, c'est qu'elles sont coupables. Si elles gardent le silence, c'est qu'elles hésitent et cherchent comment me mentir à nouveau. Si c'est si long, c'est qu'elles sont en train de se voir pour planifier leurs réponses. Les minutes deviennent des heures et ma colère prend des proportions démesurées.

Je savais que c'était elles. Je le sentais. Je ne m'étais pas trompée. Je me demande si j'aurais aimé mieux ne rien savoir et continuer juste comme avant. Faire comme si tout était correct. Oui, c'est peut-être faire l'autruche. Mais les autruches, elles, au moins, n'ont pas le cœur en miettes. Et elles ne passent pas leur samedi à pleurer toutes seules sur leur divan.

Quand je suis contrariée et que j'essaie d'arrêter mes larmes, je me mords les lèvres. Mais tout ce qui ne sort pas en larmes reste en moi. Je vais exploser. Comme un volcan.

J'envoie un message texte à Frédéric. « Je l'ai fait. Et c'est une vraie catastrophe. »

Quand il me téléphone, dans la minute suivante, j'ai envie de hurler que c'est sa faute, mais je veux qu'il me console. Je veux arrêter d'avoir de la peine.

— Je n'aurais pas dû t'écouter. J'ai envoyé un courriel aux filles et c'est la pire chose que j'ai faite aujourd'hui. J'aurais dû ne rien faire du tout.

— Tu as quoi ?

— Je leur ai envoyé un courriel.

— Écoute, Fred, pourquoi tu n'es pas allée les voir ?

— Ben... euh... parce que.

— Fred, un courriel, ça peut être interprété de mille façons. Qu'est-ce que tu leur as écrit ?

— « Allô les filles. Est-ce que je vous énerve ? J'ai vu LE message dans les toilettes. Fred qui se pose des questions. » Et j'ai mis des becs.

— Pas de petits bonshommes sourire ? Rien ?

— Non.

— Elles ont dû penser que tu les accusais d'avoir écrit le mot...

— ...

— Fred, c'est pas ce que tu penses vraiment ?

— Ben...

— Fred, dis-moi que t'es pas sérieuse, là !

— Ben quoi ? Si elles ne me répondent pas, c'est pas mal clair que c'est elles. Quand tu n'as rien à te reprocher, tu ne prends pas autant de temps à répondre.

— C'est peut-être pas elles, tu y as pensé? C'est même sûrement pas elles. C'est quand même un peu blessant de voir que ton amie te soupçonne... Faut revirer ça de tous les côtés, tu ne penses pas? C'est pas le temps de commencer une guerre avec tes amies. C'est jamais le temps pour ça!

— Peut-être... Je ne sais pas... Je voudrais ne l'avoir jamais envoyé, ce courriel. Je commençais à me sentir mieux.

— Arrête de te torturer et va les voir...

— On verra. Pour aujourd'hui, j'en ai assez fait. On change de sujet: tu peux venir chez moi ce soir pour regarder un film?

— Oh! J'ai été invité à souper chez Charles. Je suis désolé.

Je ne voulais pas entendre cette réponse. Je voulais qu'on me console. Toute la soirée. On m'abandonne.

— Ok! C'est beau! Bonne soirée, Fred!

— Hey, attends ! T'es fâchée ?

— Oui, pour mille raisons. Mais c'est correct ! Je suis une grande fille.

En raccrochant, j'ai honte. J'ai agi en bébé. Frédéric a le droit de voir ses amis, je n'ai pas à être bête avec lui. On dirait que je rate tout. Tout me glisse des mains, comme un savon mouillé. Je multiplie les gaffes. Je me sens mal. Mais j'ai encore assez de tête pour ne pas laisser pourrir cette situation avec Fred. Il faut régler les malentendus au fur et à mesure, et c'est ce que je fais. Je saisis mon iPod et je lui texte « Excuse-moi. Vraiment. Passe une belle soirée. Xxxx ». Sa réponse ne se fait pas attendre : « ☺ xxx ».

Ma mission du reste de la journée : me calmer. Je ne peux pas le faire si je ne me coupe pas un peu du monde. Alors, je débranche mon ordi, cache mon iPod et coupe la sonnerie de mon téléphone. Profitant du fait que je suis un peu moins fâchée, j'essaie de faire mes devoirs, je lis un peu et je regarde la fin d'un vieux film à la télé. Il ne passe jamais rien de bon un samedi après-midi sur les chaînes de télé. Peu à peu, je redeviens moi. J'essaie de ne pas flancher et de ne surtout pas renouer avec les moyens de communication. Je verrai demain. Plus tard. Tantôt. Ce soir. Jamais ?

Quand ma mère rentre du boulot, elle a deux grosses soupes tonkinoises dans les mains. « J'ai pensé que tu serais encore ici, toute seule. On se fait une soirée doudou. Je *feel* tellement pour ça. Je suis vidée. Mon cerveau est sur le bord de l'explosion… ouf ! À te voir l'air, ça va te faire du bien aussi. » Et on se met un film drôle, limite niaiseux, juste pour décrocher un peu.

On passe la soirée sur mon divan rose à manger de la soupe, du maïs soufflé et à regarder deux vieilles comédies. Ce petit moment rien qu'à nous, ma mère et moi, me console. Le réconfort que je cherchais tantôt ne sera pas venu de Frédéric mais de ma mère. C'est super aussi ! Son chum est parti une semaine pour son boulot. Il est si rare qu'on se retrouve vraiment seules toutes les deux. Même que là, enroulées dans nos couvertures, on dirait qu'on s'est formé un cocon douillet. Chaud. Protecteur. Rassurant. Tout ce que je voulais ! Sûrement parce que je suis bien, je réussis même à rire. Vraiment rire, là. Et c'est tellement libérateur. C'est le signe qu'on est détendu. On ne peut pas rire complètement si on est tendu intérieurement. Ces hahaha sonores soulagent mes muscles crispés. Enfin... Je souris aussi, presque une première de la journée. Cet après-midi, toute seule devant la télé, même devant les blagues les plus drôles, je n'ai pas sourcillé. Ce soir, la donne a changé.

Je réussis même à poser la question qui m'écorche le cœur et me brûle les lèvres. Je la gardais en moi parce que je ne savais pas à qui la confier. Mais elle me torturait intérieurement. On ne peut pas garder des trucs indéfiniment en soi et prétendre qu'ils ne nous gâchent pas la vie. Il faut les dire. Les évacuer. Les écrire. Peu importe. Mais là, j'ai surtout besoin d'une vraie réponse aussi. L'écrire dans mon journal ne m'aurait servi à rien. J'ai besoin de partage, de témoignages, des morceaux de bagages des autres, des « Moi aussi, j'ai... », des souvenirs, d'explications et surtout... d'une épaule pour y déposer ma tête.

— Maman... Une peine d'amitié, ça se peut, hein?

— Oh oui! C'est ce qui te chicotait ce matin?

— Ouin... disons !

— Je vais te dire juste une chose. Oui, ça se peut et c'est terriblement doulou-reux. Tu es mieux de trouver une façon de surmonter les « crises d'amitié », vos guerres intérieures, vos bouts tumul-tueux, pour ensuite vous retrouver. C'est mille fois mieux. C'est pas toujours calme, les amitiés. Mais quand elles sont vraies, elles traversent les pires tem-pêtes. Suffit de ne pas prendre trop de photos-souvenirs des pires moments et d'avancer, en regardant plus loin devant.

— C'est pas facile...

— Oh non ! On se sent parfois telle-ment blessée qu'on se dit qu'on n'y arri-vera pas. Tu sais quoi ? C'est souvent parce qu'on s'est perdue soi-même en route. On ne se comprend plus et donc en même temps, on ne comprend pas les autres. Mais on finit toujours par se retrouver... Toujours. Mais des fois on pleure. On se fâche. On baboune.

Et puis le vent tourne. Le temps passe. On se retrouve et, ensuite, on peut retrouver les autres.

— Ça t'est déjà arrivé ?

— Souvent!!! Si tu savais!

— On y survit ?

— Toujours!

— J'ai pas tellement envie... de vivre ça.

— Tu changes, c'est tout.

— Ahhh non, pas le discours sur les ados qui changent, nos hormones et tout...

— Non, pas du tout. Tu vas toujours changer dans la vie. Toujours. Évoluer. Progresser. Innover. Essayer. Tu ne peux pas rester toujours pareille, c'est normal. Et c'est tant mieux. Mais chaque fois, le changement fait qu'on n'est pas à l'aise. C'est nouveau. Faut s'adapter. Et faut que les autres s'adaptent aussi. C'est pour ça que ça éclate, parfois. Et une Frédérique pas mal mélangée...

Elle dépose une série de becs sur mon front comme quand j'étais petite, puis elle va dans sa chambre. Je reste sur mon divan. C'est là que je veux dormir, emmitouflée dans la chaleur encore présente de ma mère et les effluves de son parfum, enroulée dans une bulle réconfortante d'où je n'ai aucune envie de m'extirper.

Moi, j'ai changé ?

Je suis en processus de changement ?

Ou c'est mes amies qui changent et je les regarde faire ?

Sur mon divan, dans mes doudous, je me sens inatteignable comme si tous les tourments dont je me suis enfin débarrassée ne pouvaient plus s'infiltrer en moi. Il ne reste plus d'ouvertures, je les ai bloquées à grands coups de doudous roses qui me servent de cocon protecteur. Une barrière contre les peines et les nouvelles interrogations.

J'ai cru avoir fait l'autruche ce soir, mais ce n'est pas ça du tout. J'ai juste lâché prise. Accepté ce qui se trame. Laissé aller pour mieux revenir. Pour prendre un peu de distance. Pour ne pas creuser encore plus. Pour simplement tourner sur moi-même et observer calmement ce qui arrive.

Et si rien n'arrivait justement ? Et si ce n'était qu'un peu de changement, comme l'a dit ma mère ? Et si tout était encore là, mais juste un peu différent. Et si...

6

Des signes encourageants...

11 h.

J'ai dormi tout ce temps. J'en avais besoin. Terriblement. Je fais un bilan rapide de mon état physique et mental. Je ne me sens plus fatiguée. Mes tensions sont disparues presque totalement. J'ai un peu mal au cou, mais mon oreiller est sûrement le responsable. Mon cœur n'est plus comprimé. Ma tête est libérée. Je ne sens plus mes idées compactées comme hier. Il n'y a plus d'électrochoc causé par trop de suppositions et de doutes. Le calme semble être revenu. Pourvu que ça dure ! Le temps de laisser à mes yeux les secondes qu'il leur faut pour se réveiller, je saisis mon iPod, laissé sur ma petite table, pour vérifier mes messages.

Un message de Rosalie et un autre de Zoé. Enfin ! Rien de la part d'Emma. Je ne suis pas vraiment surprise. Emma est la plus rancunière de toutes mes amies. Elle est facilement blessée et rumine plus longtemps son chagrin. J'ai aussi un courriel de Frédéric, mais ce matin son message me semble bien moins important que tout ce que pourraient me dire mes amies. Vite ! J'ouvre celui de Rosalie. « Je ne comprends pas. J'ai hâte qu'on s'en parle. On se voit lundi. » Je reste perplexe aussi. Je ne comprends pas moi non plus. C'était pourtant clair ce que j'ai écrit ? Euhh non... pas vraiment, justement. Je clique sur le courriel de Zoé. « Je ne comprends pas. On s'en parle demain à l'école. » C'est clair : elles se sont consultées. Elles ne peuvent pas écrire presque la même chose sans s'être parlé. C'est impossible. Cette hypothèse me met en rogne. J'ai encore envie de pleurer. Comme si ma colère remontait.

Elle n'était pas terrée bien loin pour revenir aussi vite en moi. Je me surprends à penser que c'était mieux qu'Emma ne m'écrive pas. Elle aurait dit la même chose aussi. J'aurais le goût de dormir une semaine de temps pour que les changements soient passés et que tout redevienne comme avant. Ou mieux, dormir et me réveiller le matin de la danse. Un petit voyage dans le temps pour effacer tout ce qui va mal depuis.

Je me lève d'un bond, encore secouée par les courriels reçus qui ne veulent rien dire. Je fonce vers la porte de ma chambre, l'ouvre d'un mouvement brusque et... AÏE ! Une toile blanche me tombe sur les orteils. J'échappe un cri tout en rentrant ma tête dans mes épaules relevées, comme pour absorber la douleur. Mais qu'est-ce que ça fait là ? Quand je parviens à rouvrir mes yeux qui s'étaient fermés sous le choc, je m'aperçois qu'un post-it mauve est collé en plein centre de la toile. « Pour toi. Parce que tu en auras sûrement besoin pour accepter les changements. Maman xxx » Trois pinceaux, huit mini pots de peinture et un petit récipient complètent mon cadeau-surprise.

Pause pipi oblige, je laisse la toile sur le bord de la porte de ma chambre. Je file ensuite à la cuisine pour ramasser un verre de jus d'orange, un bout de fromage et des raisins. Une toile. Pour moi. C'est encore mieux qu'un mandala. C'est plus grand, donc plus de liberté et moins de directives. Mon pinceau dirige le bal, guidé par mon inspiration et mes élans du moment. Excellent ! Ce sera une formidable façon d'occuper mon dimanche et de possiblement retrouver mon sourire. Parce que les courriels plates de mes amies m'ont un peu déprimée. On n'est plus sur la même longueur d'onde... à moins que... à moins que ce ne soit que la vérité : on a de la misère à se comprendre. Peut-être qu'on marche sur des tonnes de malentendus et des phrases floues qui ne font qu'empirer le malaise que je ressens... qu'elles ressentent sûrement aussi. Moi, je ne veux pas d'une grosse chicane qui prend des airs de guerre mondiale, mais en même temps je suis un peu rancunière, aussi. Ou plutôt trop orgueilleuse pour les appeler tout de suite. Et puis, c'est sûrement mieux de se voir « dans la vraie vie », pas à travers des technologies, même le téléphone, pour parvenir à s'expliquer. J'espère qu'on y arrivera. Parce que... parce que... je m'ennuie !

Étrange de se sentir fâchée contre ses amies, mais de s'ennuyer en même temps. Je ne pensais pas que ces deux sentiments pouvaient cohabiter, même s'il y a des collisions parfois. Mais depuis quelque temps, je sais que TOUT peut arriver. Je me sens en mouvance. Tout me glisse entre les doigts. Je suis maladroite intérieurement. Vraiment étrange. Par bouts, je me sens terriblement moi, mais la seconde suivante, je ne me reconnais plus. Je suis Fred en bateau sur une mer agitée. Je suis Fred la tourmentée qui se laisse pousser par des vents parfois contraires. Je suis Fred l'inquiète qui ne sait plus quoi penser.

Je saisis la toile et tout l'attirail de peinture et je m'enferme dans ma chambre. D'abord, il est nécessaire de faire un ménage. J'ai besoin d'espace pour accueillir l'inspiration. Pour me sentir bien. Là, j'étouffe. Il y a trop de choses autour de moi. Ma chambre subira une cure de débarbouillage extrême. Je dois assainir mon espace et le débarrasser de tout ce qui l'encombre et l'envahit. Je m'attaque avec énergie à un incroyable ménage. Je trie, je classe, je jette, je donne, je lave, je dépoussière, j'élimine, je réarrange, je me débarrasse, je nettoie, je vide, je remplis, bref j'organise ! Et pas seulement dans ma chambre : dans ma tête aussi. Ce double grand ménage a des vertus thérapeutiques. Je me sens mieux. Rien n'est vraiment réglé, mais la tempête en moi s'est calmée à nouveau. Je crois que je devrai apprendre à vivre avec elle. Elle bouleverse tout sur son passage, mais elle est nécessaire. Elle m'avertit que des choses doivent changer.

Après avoir épuré mon nouveau chez-moi – j'ai rempli le bac à recyclage et deux sacs à ordures – et même déplacé mes meubles, je suis prête à attaquer ma toile. Ma chambre devient mon atelier. J'ai déniché un chevalet dans la chambre de ma mère et j'y ai installé la toile. En ouvrant chacun des pots de couleur, je ressens un petit *buzz* en moi. Je suis sur la bonne voie. J'ai tout de même un peu la tremblote avant de tracer le premier trait. La nervosité monte en moi comme une vrille. Puis, une fois les premières lignes tirées, je ne réfléchis plus. Interdiction. Je me laisse guider par le pinceau. Je le plonge tour à tour dans les pots de peinture, faisant alterner les taches colorées sur ma toile. Ma première toile. Je me sens grande. Je me sens importante. Je me sens légère. Libre. Calme. En contrôle en plein délire d'inspiration.

Je peins longtemps. J'en perds même la notion du temps. Je décroche. Je suis ailleurs sans avoir quitté le plancher de ma chambre.

Le résultat est... surprenant. On ne peut pas dire que c'est une œuvre magnifique. C'est sombre par endroits, puis lumineux à d'autres. Ce n'est pas symétrique ni même enligné : un ramassis de plusieurs objets différents placés dans un désordre incompréhensible. Je recule d'un pas pour essayer de comprendre quelque chose dans cette représentation de mon imagination. Je penche la tête d'un côté puis de l'autre. C'est étrange, mais c'est ce qui est « sorti » de moi. Ça doit donc me ressembler... un peu ? Si je me fie à ce que je vois, je peux affirmer sans me tromper que je me sens mêlée et qu'une multitude de trucs traversent mon esprit. Ce n'est pas faux du tout.

Est-ce que ma toile serait en fait une reconstitution de ce qui se trame dans ma tête ? La « forme de connaissance » qu'est mon intuition serait-elle révélée dans ce que j'ai peint ? Plus je regarde ma toile, plus je me sens hypnotisée par elle. Plus je l'observe, plus j'ai l'impression d'entrer en moi et de m'auto-observer.

C'est vraiment trop étrange. Je décide de la prendre en photo pour la montrer demain à mes amies... à moins que je la leur envoie directement par message texte ? Oh non ! Je m'étais promis de me tenir loin de la techno pour renouer une vraie conversation avec mes amies. Après avoir immortalisé ma toile en version numérique, je m'aperçois qu'Emma m'a écrit. Mon cœur fait un bond. Pendant deux microsecondes, je songe qu'elle a dû me répondre un truc aussi court que Rosalie et Zoé. Mais en même temps, je me dis que si Emma a attendu pour répondre, c'est qu'elle a plus à dire.

Je ne me suis pas trompée. Son courriel est 40 fois plus long que ceux de ce matin, mais il dit exactement la même chose que ceux de Zoé et Rosalie. Emma non plus ne comprend pas, mais désire qu'on se voit toutes les quatre pour se parler. Se dire les vraies affaires. Et sauver notre amitié.

Le jour 3 à l'école est celui où on se voit le moins, mes amies et moi. Même le midi, surtout quand le jour 3 tombe un lundi comme aujourd'hui. Zoé a un entraînement de basket. Fred aussi.

Rosalie a sa réunion du comité de danse. Et Emma fait partie du comité vert. Moi, c'est mon midi libre. Seule.

J'en profite pour aller à la bibliothèque pour m'avancer dans mes travaux. Un peu d'avance ne me fera pas de tort. Et puis, il y a toujours mon travail sur la signification et les symboles de la guerre.

— Où est la section des livres sur la guerre ?

— Quelle guerre ?

— N'importe laquelle ! C'est pour un devoir sur « la guerre » globalement...

— La guerre que je mène contre mes cheveux blancs, est-ce que ça compte ?

La bibliothécaire se trouve drôle. Elle rit dans sa manche en me pointant une section à ma gauche. Disons qu'elle ne sera sûrement pas dans un prochain gala du Festival Juste pour rire à la télé, mais sa réflexion me reste en tête.

Je pourrais écrire un texte sur les guerres intérieures. Les conflits qui se passent en nous. Ceux avec nos amis, nos chocs d'idées. Nos confrontations. Nos malentendus. Et puis ceux qui restent là, qui nous dérangent...

En après-midi, je croise enfin Emma. Elle veut absolument qu'on se voie toutes les quatre après l'école, au parc. « C'est important ! Ça ne peut plus attendre ! » Je sais que ce sera une réconciliation, mais en arrivant au rendez-vous, je suis fébrile quand même. C'est plus fort que moi.

— Les graffitis, c'est fini ! commence Emma. J'en ai parlé au comité vert et l'école va tout repeinturer. Génial, hein, Fred ?

— Bien sûr.

Étrange. Tout est comme avant.

— Faut aussi te parler de ce qui s'est passé vendredi, Fred. On ne te reconnaissait plus, c'est pour ça qu'on s'en est parlé toutes les trois quand tu étais à la salle de bains.

— Ça t'a pris des heures !

— Exagère pas, Rosalie ! Mais c'est vrai qu'on a eu l'impression que tu n'étais jamais là. Même que tu nous fuyais un peu.

— Oh ! Hein ? Non ! Pas du tout !

— Mais tout est une question de perception. Tu te concentrais sur ce que tu vivais. Nous, on regardait la même situation, mais de notre point de vue.

— Je pense que j'étais perdue dans ma tête et que les mots que j'ai lus ont déclenché en moi une tempête terrible.

— Écoute, on ne veut pas que tu te fâches, mais on s'est parlé toutes les trois avant de te voir. Pas pour parler dans ton dos, pour mieux te faire comprendre ce qu'on veut te dire. Parce que pour nous, t'es super importante. T'es le centre de notre amitié, même. T'es le noyau !

— On a déjà douté, nous aussi, avoue Rosalie d'un air calme qui ne lui ressemble pas.

— De moi ?

— De chacune d'entre nous...

— Dire les choses sera toujours mieux que douter. Mais en même temps, on doute toujours, dis-je finalement. Un jour, on dirait que nos doutes se gonflent et deviennent plus gros que la réalité. Ils la déforment sans complexe. Et là, on voit tout à travers leur filtre déformant. Et si on mêle en plus nos intuitions et qu'on se met à être attentive à tout de façon extrêmement pointilleuse, on finit par s'inventer des problèmes qui n'existent pas. Mais on trace tellement de liens entre nos hypothèses qu'on se convainc de ce qu'on imagine. On se trompe et là, on ne sait plus comment se retrouver. C'est ce qui m'est arrivé.

Zoé a été la première à prendre la parole ensuite. Pour une des rares fois, elle a réellement ouvert son cœur.

— Moi j'ai souvent douté que vous m'acceptiez comme j'étais. Des fois, je me dis encore que vous allez me trouver plate de ne pas être toujours disponible pour vous entre mes pratiques et mes parties. Je suis plus sportive que vous trois réunies. Des fois, je me sens un peu plus seule. Mais vous êtes ce qui me rattache à la vraie vie en dehors du sport.

— Le nombre de fois où je me suis couchée le soir en me chicanant d'en avoir trop fait, trop dit, trop tout. Je me dis qu'un jour, vous en aurez assez de mes « excès ». Je doute aussi parfois. Et, des fois je regrette. C'est jamais super facile... autrement, ce serait peut-être trop plate aussi, nous confie Rosalie.

— J'imagine que vous vous rappelez toutes les trois que je me suis longtemps sentie moins « hop » que vous. Je vous « dérangeais » en étant ultra-timide, je le sentais. Il fallait me convaincre de sortir de ma zone de confort et vous deviez travailler dur. Je n'étais pas spontanée comme vous. Ça m'énervait, car je pensais que vous me trouveriez trop plate pour être amie avec vous. Je vous cassais les pieds en étant trop peureuse, trop sage, etc., révèle Emma à son tour.

— Mais... mais on fait quoi quand ça arrive ? On change ? dis-je.

— Je pense qu'on change juste si ça nous convient à NOUS de changer. Mais on n'est pas obligée, répond Zoé.

— Oui, mais le graffiti dit que j'énerve quelqu'un. C'est quand même blessant...

— Toi, Fred, aimes-tu tout le monde ? me demande Emma.

— Non, c'est sûr...

— Moi non plus. Zoé non plus. Rosalie non plus. Fred, tu ne vas pas changer pour plaire à une fille qui visiblement ne t'aime pas tellement. Si ça se trouve, cette fille doit juste être jalouse de toi. Tu n'as pas à changer pour ça. C'est elle qui a un problème si elle a besoin de TE rabaisser pour se croire meilleure!

— Ouin, c'est vrai! Vous avez raison. Totalement. Je suis désolée d'avoir cru que le graffiti venait de vous. C'était poche! Mais j'avais tellement peur que vous ne m'aimiez plus. Des fois, on n'arrive plus à contrôler ça, je pense. Promis, je veux marcher avec vous. Être avec vous. Les autres, ben tant pis! Je ne vivrai pas en fonction d'eux. Je ne veux pas les écraser; je veux juste être moi.

J'ai dit tout ça rapidement, les yeux alternant entre le bout de mes bottes et le ciel tacheté de quelques faibles étoiles.

On a dû marcher 15 kilomètres tout en faisant des tours complets du parc en se tenant par la main. On a jasé longuement, mais on a aussi été capables d'avoir des moments de silence.

Étendue sur mon divan rose, j'ai les mollets en feu, les pieds en compote et le cœur heureux. Ça donne quoi que tout le monde m'aime ? Ce serait une illusion de penser que c'est possible ou même souhaitable. C'est impossible d'aimer la planète entière, alors tout le monde ne peut pas m'aimer. C'est une règle. Autrement, il faudrait vivre avec des gens qui nous mentent sur leurs vrais sentiments. Je ne pense pas que c'est plus gagnant comme équation. Pas du tout, même ! Je suis ce que je suis et puis tant pis !

J'appelle Fred pour tout lui raconter.

— Tu vois encore des signes ? me demande-t-il.

— Oui, des bons ! Je pense qu'on a réglé notre chicane. Et même des chicanes à venir qui n'existaient pas encore.

— Tant mieux ! Je suis content pour toi... Pour vous.

— Je pense que j'avais juste besoin de temps pour mieux réfléchir. J'ai fait la tortue et je me suis repliée en moi pour savoir ce qui s'y passait.

— Ok, ma belle tortue, là faut que je retourne à mes trucs. On se parle demain.

— Bonne nuit !

Même pas 15 secondes après avoir raccroché, je reçois un petit texto de Frédéric : « Là, t'étais vraiment toi ! :-))))) »

Autant d'émotions – même posi-tives – m'empêchent de dormir, alors je commence à écrire ma réflexion sur nos guerres intérieures pour mon cours d'éthique. Je barbouille, je rature, je recommence dix fois. Je fais une pause de quelques minutes pour m'étendre sur mon divan. J'observe tranquillement ce qui m'entoure. Je sens – encore une intuition, une bonne – que je suis près de mon but...

Tout à coup : pouf ! Je l'ai ! Je l'ai ! Je l'ai !

Je me lève d'un bond pour prendre mon ordinateur, le mettre sur mes genoux et laisser mes doigts danser nerveusement sur le clavier. Ma réflexion sur la guerre, je l'ai, là. Dans mon cœur et dans ma tête. Je viens juste de la vivre et de la raconter à Fred. Il me reste seulement à la transférer sur papier. Je n'aurai pas eu besoin d'encyclopédies ou de faits d'actualité. Je n'avais qu'à regarder au fond de moi. Bang ! Tout y était. Ma longue promenade avec les filles, c'était ça la guerre et la paix. En plus, ce travail m'a inspiré la plus géniale de toutes les idées du monde.

Un super projet qui doit absolument voir le jour. En moins d'une demi-heure, ma réflexion est écrite. L'inspiration ne m'a pas lâchée. J'imprime mon travail en espérant ne pas avoir laissé trop de fautes.

Je sautille comme une puce en attendant que les feuilles sortent de l'imprimante. Je suis redevenue extrêmement moi. Eh oui ! Et c'est vraiment étrange... Le pire – ou le mieux plutôt –, c'est que mon idée de projet m'est venue... du graffiti des toilettes. Qui sait si mon intuition de l'autre soir n'était pas plutôt pour ça, mais que je suis restée accrochée sur le fait que c'était peut-être mes amies ? On voit les signes qu'on veut...

Malgré mon surplus d'énergie soudain, je réussis à m'endormir en rêvant probablement à mon projet de « Graffiti... d'amour ! »

Projet
« Graffiti... d'amour ! »

En arrivant à l'école, je cours d'un bord et de l'autre. Je vais voir le directeur, je me précipite au local d'arts plastiques, je mesure la hauteur entre le plafond et le haut des casiers. Je suis énervée. Je dois quand même me calmer un peu parce que j'ai trois cours ce matin avant de pouvoir en parler avec mes amies et leur dire que le directeur a dit « oui ».

Tadam ! Entre les sandwichs, les gourdes de jus, les légumes en morceaux et les bouts de fromage, je dépose le travail fraîchement sorti de mon cerveau devant les filles.

— Vous allez voir ! C'est génial ! Vous allez m'aider, hein ? J'ai besoin de vous !

Rosalie est la première à lire le titre à voix haute. Trop haute ! Je ne veux pas que les oreilles indiscrètes des autres élèves de mon cours d'éthique entendent. Tout à coup qu'ils piquent mon idée durant l'heure du midi.

« Graffiti... d'amour. Pour en finir avec les guerres. »

— Au fond, j'ai trouvé... Au lieu de parler des grandes guerres qui ont déchiré le monde, j'ai décidé de parler des guerres qu'on porte parfois en nous et des conflits plus près de nous... Comme les conflits dans l'école, les chicanes parce qu'on ne se comprend pas, les malentendus qui créent des malaises et risquent même de s'envenimer à un point tel qu'on ne se parle plus, des jalousies non contrôlées, des erreurs, des gaffes, etc. Bref, tout ce qui s'est passé depuis vendredi, depuis le graffiti, m'a fait réfléchir. C'est une forme de guerre. Un conflit. Une confrontation. Le graffiti m'a écorchée. J'aurais pu partir en guerre contre vous, contre la personne qui l'a écrit, contre toute l'école. C'est parfois ainsi que les grandes guerres doivent commencer, je pense. Je n'ai pas de preuves, mais si à petite échelle c'est comme ça, vous imaginez comment c'est quand ce sont deux pays qui se chicanent. Parce qu'on s'entend, une école, c'est petit comparé à un pays entier.

— Ouin, c'est pas fou ce que tu dis. Loin de là, même! approuve Emma.

— Mieux encore, ce week-end, je sentais que je vivais mille émotions contradictoires qui se « chicanaient » en moi. Elles se livraient une guerre pour être celle qui allait envahir le plus de territoire... en moi.

— Ohh! T'es rendue un peu loin, mais je te suis quand même, lance Zoé qui a toujours plus de difficulté à comprendre les subtilités.

— Et pourquoi « graffiti d'amour » ? demande Rosalie, intriguée.

— Ah ha ! Vous allez capoter ! Le graffiti de vendredi + le mandala de samedi + ma toile de dimanche = mon nouveau projet. Tous ceux qui le voudront pourront participer à une séance de graffitis contrôlés...

— Fiouf ! Moi qui m'évertue à organiser l'opération « dé-graffiti » dans les toilettes de l'école avec le comité vert, soupire Emma. Mais c'est quoi des graffitis contrôlés ?

— En fait, c'est plutôt des toiles ! Chaque personne qui s'inscrira créera une toile qui incite à la paix. Elle peut faire un dessin, écrire un mot et le décorer, ajouter une pensée, peu importe. Le but, c'est de dire publiquement qu'elle est contre les guerres. Ce que je voudrais, c'est que chaque toile soit accrochée en haut du casier de son auteur. J'ai fait des calculs ce matin, et on a des toiles juste de la bonne grandeur. Si tout le monde le fait, ça va être super beau! Le directeur est d'accord, mais il hésite. Il pense que ce serait mieux si on n'associait pas nécessairement la toile à l'auteur. Il a lancé l'idée de faire une grande murale dans le corridor central. Il dit que ça aiderait ceux qui sont gênés à s'exprimer plus librement, un peu comme un vrai graffiti. Vous, vous en pensez quoi?

— Son idée est excellente, je trouve. Ça se fond justement dans ton concept de graffitis contrôlés, explique Emma. On ne sait pas qui l'a fait, mais le message est lancé. J'aime ça! J'aime vraiment ça.

— Moi, j'embarque, c'est sûr! sourit Zoé.

— Moi aussi! s'exclame Rosalie.

Je suis heureuse.

— Tu les prends où, toutes tes idées, Fred ? me demande Zoé. Des fois, je suis un peu jalouse. Juste un peu, là ! Pas une grosse jalousie, t'inquiète pas. Je me trouve trop terre à terre. Trop...

— T'es « trop » comme Rosie ? dis-je en la taquinant avant de poursuivre. Je trouve mes idées dans ma tête. Dans les signes que je vois. Quand j'écoute ma petite voix, mon intuition... mais dis-toi que ce n'est pas toujours de tout repos. Tu le sais bien ! J'ai été à l'envers pendant trois jours pour en arriver à avoir mon idée de génie et me sentir mieux...

La cloche coupe nos élans. Je pars vers le gymnase avec Emma pour notre cours tandis que Rosalie et Zoé se dirigent vers les escaliers. Dans le brouhaha qui suit toujours la cloche, j'ai le temps d'entendre Zoé me crier :

— Hey, Fred ? T'es toi ! La vraie toi ! Continue !

Et Emma me prend la main et la serre discrètement en me faisant un grand sourire.

J'ai hâte de raconter tout ça à mon Fred. Lui aussi sera content pour moi. Je me demande s'il mettra la main à la peinture pour mon projet...

Colorer la vie

Juste après le gym, j'ai croisé Frédéric et j'ai pu lui dire en vitesse tout ce que j'avais fait depuis la veille. Il avait hâte d'avoir des nouvelles et il m'a assuré qu'il participerait au projet graffiti. Et même qu'il inciterait ses amis à le faire aussi. Ensuite, j'ai présenté ma réflexion à ma classe d'éthique. C'était mon dernier cours de la journée. Autant j'avais hâte de parler de ma réflexion et de mon projet, autant j'avais envie d'être chez nous à relaxer. Les derniers jours avaient été éprouvants. Mais j'étais transportée par l'enthousiasme de mes amies, de Fred, du directeur et du professeur d'arts et, surtout aussi, par la certitude d'être redevenue moi, d'avoir retrouvé mes amies et d'être simplement fière de ce que je fais même si ça ne plaît pas à tout le monde. Je ne veux pas écraser ceux qui ne pensent pas comme moi. Ni non plus les « éliminer » de ma vie. Cependant, je ne me cacherai pas pour être celle que je suis...

J'ai terminé la courte présentation de mon projet – on avait maximum cinq minutes pour livrer notre réflexion – dans un concert d'applaudissements. J'ai entendu des commentaires comme « C'est hot ! », « Moi, je veux participer ! » et « Super idée ! ». Une seule ombre est venue ternir mon bonheur. Près des casiers, à la fin de la période, Chloé m'a lancé sur un ton méprisant : « Faut toujours que tu en fasses plus que les autres ! Que ce soit plus gros, plus flamboyant, hein ? Tu aimes ça que tout le monde te remarque ! » Et elle a tourné les talons, fâchée, hargneuse.

J'ai été abasourdie. Je n'en revenais pas. Évidemment, j'ai eu envie de pleurer.

Qui ne l'aurait pas fait ? Je voulais juste rejoindre mes amies pour trouver un peu de réconfort. Puis... pouf ! Je ne sais pas trop pourquoi, mais je me suis arrêtée et j'ai fait demi-tour pour aller la voir. Subitement, tout est devenu clair. J'allais lui DIRE ce qui n'allait pas. Je n'allais pas laisser le malentendu me pourrir la vie.

« Tu sais quoi, Chloé ? Peu importe ce que je vais faire, je vais t'énerver. Je respire et je t'énerve. Ben, tu sais quoi ? Je vais continuer à respirer. Tant pis pour toi ! Mais au lieu de mettre tes énergies à me critiquer et à me trouver énervante, tu pourrais faire quelque chose de plus intéressant. C'est tellement plus facile de chialer. Mais tu sais quoi, toi tu ne seras jamais contente. Tu ne fais que critiquer les autres. Tu ne fais jamais rien... à part écrire sur les murs de la cabine du fond dans les toilettes du gymnase. Moi, en finissant l'année, je vais être contente de moi. Toi ? Tu vas juste être jalouse. Et fâchée. »

À voir son visage quand j'ai dit « écrire sur les murs de la cabine du fond dans les toilettes du gymnase », j'ai eu la preuve que c'était elle. Mon intuition – encore ! – ne m'avait pas trompée. Chloé a baissé la tête, n'a pas répliqué et est repartie vers son casier, l'air un peu penaude. Moi, je suis retournée la tête haute rejoindre mes amies.

Quand Chloé m'a attaquée, j'ai senti une partie de moi vaciller. J'ai eu peur. Je ne me suis pas sentie bien, mais je n'avais pas envie de me laisser faire ainsi. Je voulais qu'elle arrête. Elle peut ne pas m'aimer, mais elle n'a pas besoin de l'écrire sur les murs ni de dénigrer ouvertement mes projets. Si ça ne l'intéresse pas, elle n'a qu'à ne pas y participer. C'est tout ! Et utiliser son temps à quelque chose pour elle. Pas à ridiculiser ce que je fais.

Quand j'ai raconté ce que j'avais fait à Rosalie, Emma et Zoé, elles m'ont toutes félicitée. Selon elles, j'ai réagi avec aplomb. Elles sont à peu près certaines que Chloé va arrêter de m'embêter. Aussi, elles croient qu'elle est terriblement jalouse parce qu'elle n'a pas des idées comme les miennes.

— Et elle doit être jalouse aussi de nous parce que toi, t'es notre amie ! lance Emma.

— La meilleure des amies aux bonnes idées ! ajoute Rosalie.

— La meilleure des amies aux bonnes idées qu'on a enfin retrouvée, conclut Zoé.

Fred aussi est fier de tout ce que j'ai fait dans ma journée. On a longtemps parlé au téléphone et puis on est allés au parc ensemble après le souper. J'étais heureuse.

Dans un sens, j'ai même fait la paix avec Chloé en lui disant le fond de ma pensée. Je sais qui elle est. Ce n'est pas mon ennemie. Ce n'est juste pas une alliée. Mais je vais continuer à être moi, à avoir des idées, à suivre mes intuitions, à observer les signes et à essayer plein de choses quand même. Elle ne bloque pas ma route ; on n'est même pas sur le même chemin. Qu'elle voyage de son côté et moi du mien, mais je refuse qu'elle me ralentisse ou me fasse sentir mal d'être qui je suis. C'est fini. Je tourne la page. Je continue.

Des sourires plus grands que tout

Le jour du projet « Graffiti… d'amour » est un grand jour pour moi. Je me lève avec un sourire accroché au visage et il va y rester toute la journée, je le sens.

Le midi, après que les élèves ont quitté la cafétéria, mes amies, Fred et ses amis et moi y transportons tout le matériel nécessaire pour la création des toiles. À la fin de la journée, tous ceux qui veulent rester sont invités à en peindre une. On aura trente minutes pour commencer notre graffiti rempli d'espoir. Le directeur nous a permis d'apporter la toile à la maison pour la terminer. On pourra emprunter un peu de matériel si on s'engage à tout remettre le lendemain. Ainsi, on déposera notre œuvre finale de façon incognito.

Les plus timides seront servis. J'ai compris que c'était mieux ainsi. Après discussion avec le directeur, je lui ai confié que son idée de créer une murale anonyme était excellente. Parfois on a des choses à dire, mais même si c'est ultra-positif, on a un peu peur de le faire.

Durant les deux dernières périodes, je me pose mille questions. J'ai hâte de voir combien d'élèves relèveront le défi. Le directeur m'a proposé de prendre en charge le projet et d'en informer les professeurs. « En disant toujours que c'est ton idée, bien sûr! » a-t-il précisé. Ça ne me dérange pas du tout. Une idée, il faut que ça voyage, que ça transporte son message partout et moi, je n'aurais pas pu tout faire. Donc, tous les professeurs en ont parlé dans leurs cours. C'est, paraît-il, un projet « unificateur » pour l'école. Une démonstration qu'on cherche à promouvoir la paix, tous les actes de paix!

La paix... c'est ce que j'ai finalement trouvé ! Elle s'est installée au fond de mon cœur et je suis tellement heureuse. Enfin, je ne sens plus ces millions de nœuds dans ma gorge et cette lourdeur dans ma poitrine. Je suis libre. Et je peux enfin sourire à nouveau. Je soupire en y réfléchissant et surtout en regardant les minutes passer à la vitesse d'une tortue estropiée. C'est long. J'ai l'impression que la cloche ne sonnera jamais.

La cloche sonne enfin. J'ai eu le temps de mordiller un crayon de plomb et d'entortiller des dizaines de fois mon foulard autour de mon poignet. Je sors en flèche de mon cours. Mes amies m'attendent à mon casier. Elles sont prêtes à aller peindre la paix. On se dirige donc ensemble vers la cafétéria. Étrangement, on a de la difficulté à se frayer un chemin dans le corridor. Je ne comprends pas trop ce qui se passe. Puis, je saisis : tous ces élèves vont à la cafétéria. Avant que j'aie le temps de réagir, le directeur et le professeur d'arts arrivent en courant vers moi : « Un joyeux problème, Fred : on manque de toiles. On va aller en acheter et on revient ! »

Rapidement, les tables se remplissent, les couleurs se multiplient sur les toiles au même rythme que naissent de grands sourires sur les visages. Ce spectacle m'enchante. On ne changera pas le monde, non. Aucune guerre ne sera arrêtée avec notre petite initiative. Aucun pays ne sera délivré des déchirements provoqués par les guerres. Mais c'est plus d'une centaine de personnes qui manient le pinceau pour plus de paix autour de soi. Ce n'est pas rien non plus. J'ai envie de pleurer. Pas des larmes de colère cette fois. Des larmes qui font du bien. Mais je souris plutôt. Encore plus grand que tantôt si c'est possible.

— Viens! me lance Emma en me tirant par le bras et me sortant de la lune.

— Non! Je ne peux pas. Fred va arriver. Je veux être là... Je..., dis-je, peu convaincante.

— Allez! Ça va prendre cinq minutes, mais ça va te faire tellllllement de bien! Tu ne seras pas déçue.

On laisse donc Zoé et Rosalie qui essaient de rejoindre un groupe de gars... Ahhhh! Sûrement que celui qui fait flipper le cœur de Zoé est là. Je me promets d'être plus attentive quand je reviendrai. Cette histoire de doutes, d'intuitions et de questionnements passée, je pourrai redevenir une vraie de vraie amie au courant de leur météo du cœur. En marchant en silence, Emma et moi croisons le concierge avec de larges pinceaux et deux gros pots de peinture. Il va peindre des toiles, lui aussi?

Finalement, je suis Emma jusqu'aux.... toilettes près du gymnase.

— C'est ici que tout a commencé, non ? me demande mon amie.

— Ouais..., dis-je, pas vraiment fière de moi.

— Ben, je t'annonce que c'est ici que tout va finir aussi.

Emma m'entraîne dans la pièce et se dirige directement dans la dernière cabine. LA cabine. Je suis tout à coup mal à l'aise. Mon sourire s'estompe, je le sens. Mes sourcils s'arquent et mon cœur s'active. Je sais que si je n'avais pas mis les pieds ici, le soir de la danse, probablement que ma vie aurait été dif-férente.

— Ça va, Fred ?

— Bouaf ! Tu sais, si je n'étais pas venue ici, on ne se serait pas chicanées toutes les quatre. Je n'aurais pas douté de vous... Et on...

— C'était pas une vraie chicane. C'était plutôt une mise au point. Ça serait arrivé un jour ou l'autre. Le graffiti a précipité les choses, c'est tout. Mais toi, t'as surtout le choix de voir ça du côté que tu veux. De voir un signe positif ou négatif. Au lieu de te rappeler la chicane et ton mauvais week-end, tu peux aussi te dire que c'est grâce au graffiti que plus de cent personnes sont en train de faire une toile pour la paix aujourd'hui dans la cafétéria. Ça, c'est fort! Si tu n'avais pas été si bouleversée par ce que tu as vu, l'idée n'aurait pas germé en toi. C'est LA preuve que le négatif peut parfois devenir du positif... Il suffit de voir les bons signes.

— Wow! Je n'avais pas vu ça de même! T'as sûrement raison. Non, TU AS raison, je veux dire. Ok. Promis. Je chasse les souvenirs négatifs pour ne garder que les beaux... Merci, Emma. Vraiment.

Pouf! Je lui saute dans les bras. Et on se serre longtemps. Toutes les guerres se sont arrêtées en moi. Je viens de faire la paix avec la cabine des toilettes qui me causait encore des soucis. C'est vraiment fini. La page est tournée.

Du moins, c'est ce que je pense. Emma sort un petit pot de peinture de sa poche de jeans et un pinceau.

— Tiens...

— Pourquoi tu me donnes ça?

— Le concierge va venir tout repeinturer. Le comité vert a réussi à faire comprendre à l'école que les graffitis dans les salles de bain étaient de la pollution visuelle qui pouvait avoir des effets néfastes chez les jeunes. Alors, la direction a demandé au concierge de donner quelques coups de pinceau sur les graffitis pour les effacer. On l'a croisé tantôt. Tout sera parti ce soir. C'est vraiment la journée peinture à l'école.

— Tu veux que je peinture?

— Non, je veux que tu rectifies ce qui est écrit. De toute façon, tantôt tout sera disparu.

— Euh non, je ne peux pas...

— Vas-y ! Barbouille ! Juste un peu !
Ça va vraiment mettre le mot « fin » à
ton histoire avec ce graffiti !

— Ben non ! Je ne serai pas capable...,
dis-je, offusquée. C'est pas moi, faire ça,
et puis, c'est pas correct, non ?

— Arrête, Fred ! Arrête, franchement !
C'est pour te faire du bien. Je ne te dis
pas de te venger et d'écrire quelque chose
de terrible sur Chloé, ça, t'as encore ton
journal intime si tu veux vraiment te
défouler. Mais là, t'as pas quelque chose
à dire... sur toi... sur la vie... sur ta journée... je ne sais pas. Et je te le dis, ça va
être un graffiti avec une espérance de
vie extrêmement courte ! Le concierge
va passer dans pas longtemps.

J'hésite. Je n'aurais jamais pensé faire
un vrai graffiti, même minime, un jour.
Mais la tentation est là. Je réfléchis.

— On a quand même pas la soirée,
Fred... Déniaise ! Go ! Ou on repart.

J'ouvre le pot de peinture et saisis le pinceau. Je biffe le « m'énerve ». Ensuite, j'écris un défilé vertical de verbes pour le remplacer.

Frede ~~m'énerve~~

 ... crée

 ... change

 ... inspire

 ... pense

 ... sourit

 ... vibre

 ... respire

 ... VIT

Je crois que je n'ai pas respiré pendant que j'écrivais tout ça et à la fin je pousse le plus énorme soupir jamais entendu. Je suis terriblement fière de moi et nerveuse en même temps. Emma aussi semble fière de m'avoir aidée à me libérer ainsi.

— T'es certaine que le concierge va passer tantôt ? dis-je en quittant la salle de bain.

— Selon toi, là, il est en train de tricoter ou il peinture ? me demande Emma en me poussant un peu dans le cadrage de porte des toilettes des gars.

— Ok ! Ok, c'est beau ! J'ai compris !

Je réalise que je n'ai aucune raison de m'inquiéter. On rejoint les autres dans la cafétéria. Je m'arrête quelques instants pour prendre une photographie mentale, un *clic clic* de bonheur, pour garder ce que je vois dans ma mémoire. J'ai un album photo de tous les moments « wow » de ma vie dans ma tête. Un jour, je sais qu'il sera immense.

— Frédérique ? Frédérique, tu m'entends ?

Une voix que je ne reconnais pas tout de suite me sort de ma rêverie. Je tourne la tête et je tombe nez à nez avec Chloé. Pour une des rares fois de ma vie, je la vois mal à l'aise et même un peu gênée. Son air frondeur et arrogant a disparu.

— Excuse-moi, Frédérique, mais avant de prendre une toile et de la peindre, j'ai pensé te demander la permission. Euh... plutôt, mes amies m'ont dit que je devrais le faire, qu'autrement ce ne serait pas vraiment correct envers toi. Je sais que j'ai dit des trucs poches à propos de ton projet... ben, de tous tes projets... et sur toi... mais peindre, j'ai toujours aimé ça. En fait, ça fait des années que je n'ai rien fait. Mais je me rappelle que quand j'étais petite, je capotais quand ma mère sortait les pots de peinture. J'ai comme... arrêté. Je pensais que c'était bébé, mais finalement, pas tant que ça. Euh... je veux dire pas du tout. Bref, je veux savoir si je peux participer moi aussi ou si t'aimes mieux que je ne sois pas là. Je comprendrais, tu sais. Mais...

Je l'arrête dans sa tirade qui n'en finit plus. Je crois qu'elle se sent tellement mal que les mots sortent à grande vitesse de sa bouche pour cacher justement son malaise. Malgré tout, je la sens sincère.

— Oui.

— Oui comme dans...? C'est ok?

— Oui, oui! En plein ça!

— Euh... euh... ah... ben, merci, Frédérique. Merci.

Je la vois courir vers les tables et prendre une des nouvelles toiles que le directeur vient tout juste de déposer. Ça me fait tout drôle. En moins de deux minutes, je viens de signer un accord de paix. Avec ma pire ennemie. Je ne pouvais pas dire « non ». C'est mon idée, pas mon exclusivité, ce projet.

— Viens, Fred! T'es encore dans la lune!

Rosalie me presse de les rejoindre. Mon sourire s'étire encore plus. Surtout que j'ai vu que Frédéric est déjà là lui aussi, deux toiles sous le bras.

— Tu m'aimes mieux dans la lune ou quand je me perds dans mes intuitions?

— Tu sais quoi, je pense qu'on t'aime mieux les deux pieds sur terre dans la vraie vie, directement dans tes souliers. Là, au moins, on sent que tu es toute là..., réplique Zoé.

— Mais pour avoir la vraie Fred, il faut un peu des deux... sinon elle ne serait pas la Fred qu'on aime..., conclut mon Frédéric en souriant de la façon la plus charmante qui soit (avec son sourire qui s'accroche vers la gauche quand il incline aussi la tête de ce côté : je craque chaque fois).

Sérieusement, là, à ce moment précis, je ne peux pas réussir à sourire plus. Le rouge me monte aux joues. Une grande bouffée d'émotions tourbillonne en moi.

C'était mes amies. Ce sont mes amies. Elles le seront toujours, je crois. Du moins, je l'espère. Il n'y aura pas de guerres ni de tempêtes assez fortes pour nous séparer. Au contraire, elles nous rendront juste un peu plus soudées. Je le comprends, maintenant.

Je saisis un pinceau, de la peinture mauve et, spontanément, sans vraiment y réfléchir, je laisse mon inspiration guider ma main. Le frottement des poils du pinceau sur la toile me donne un frisson. À moins que ce soit parce que je viens de voir ce que j'ai peint. J'ai tracé une ligne finement courbée, quelque chose qui ressemble à une esquisse de sourire... le centre de mon œuvre pour la paix. Un sourire de paix. Un sourire d'amour. Un sourire qui répare tout. Un sourire qui met fin à bien des guerres...

ÉPILOGUE

— Maman, je vais à la boutique d'art acheter des toiles. C'est ce week-end qu'on va au chalet d'Emma, tu te souviens ? On veut peindre toutes les quatre, là-bas. Tu as besoin de quelque chose ?

— Une toile, moi aussi ! Attends-moi, je viens avec toi !

Les secrets du divan rose

Est-ce que tu t'es déjà défoulée en dessinant?
Si tu avais une toile blanche devant toi, que
dessinerais-tu? Quels mots choisirais-tu
d'y mettre? Quelle couleur représente ton
humeur aujourd'hui?

Tu as une histoire à raconter? Écris-moi!
divanrose@boomerangjeunesse.com

Pour tout savoir sur les nouveautés
de la série, la présence de Nadine
Descheneaux dans les salons et les
tournées dans les écoles et les biblio-
thèques, visite régulièrement le site
lessecretsdudivanrose.com ou
nadinedescheneaux.com.

Dans la même collection

978-2-89595-456-9

978-2-89595-457-6

978-2-89595-458-3

978-2-89595-485-9

978-2-89595-524-5

978-2-89595-547-4

978-2-89595-606-8

978-2-89595-604-4

978-2-89595-669-3

978-2-89595-564-1

978-2-89595-602-0